CRÔNICAS DE EDUCAÇÃO 3

Cecília Meireles

CRÔNICAS DE EDUCAÇÃO 3

Planejamento Editorial

LEODEGÁRIO A. DE AZEVEDO FILHO

Coordenação Editorial

ANDRÉ SEFFRIN

São Paulo
2017

1ª Edição, Nova Fronteira, Rio de Janeiro 2001
2ª Edição, Global Editora, São Paulo 2017

Jefferson L. Alves – diretor editorial
Gustavo Henrique Tuna – editor assistente
André Seffrin – coordenação editorial, estabelecimento de texto e cronologia
Flávio Samuel – gerente de produção
Jefferson Campos – assistente de produção
Flavia Baggio – assistente editorial
Fernanda Bincoletto – assistente editorial
Danielle Costa e Elisa Andrade Buzzo – revisão
Tathiana A. Inocêncio – projeto gráfico
Victor Burton – capa
Foto de capa – Shutterstock/Africa Studio

Obra atualizada conforme o
NOVO ACORDO ORTOGRÁFICO DA LÍNGUA PORTUGUESA.

A Global Editora agradece à Solombra - Agência Literária pela gentil cessão dos direitos de imagem de Cecília Meireles.

CIP-BRASIL. CATALOGAÇÃO NA PUBLICAÇÃO
SINDICATO NACIONAL DOS EDITORES DE LIVROS, RJ

M453c
2. ed.

Meireles, Cecília, 1901-1964
Crônicas de educação, volume 3 / Cecília Meireles. - 2. ed. - São Paulo: Global, 2017.

ISBN 978-85-260-2265-2

1. Crônica brasileira. I. Azevedo Filho, Leodegário A. II. Seffrin, André. III. Título.

16-30537 CDD: 869.98
CDU: 821.134.3(81)-3

global editora e distribuidora ltda.
Rua Pirapitingui, 111 - Liberdade
CEP 01508-020 - São Paulo - SP
Tel.: (11) 3277-7999 - Fax: (11) 3277-8141
e-mail: global@globaleditora.com.br
www.globaleditora.com.br

Nº de Catálogo: **3873**

Acervo pessoal de Cecília Meireles

Sumário

sexto núcleo temático

EDUCAÇÃO, POLÍTICA E RELIGIÃO

Os políticos e a psicologia

Um político – referimo-nos aos verdadeiros, aos grandes políticos, aos que dedicam sua vida a conduzir os povos pelos melhores caminhos – tem de ser sempre um homem de profunda visão psicológica.

No vasto cenário de uma nação, ele representa o mesmo – em grandes proporções – que um professor numa classe.

Precisa conhecer as tendências da alma humana, precisa sentir a inquietação da época, precisa ter a força e a habilidade de colocar cada elemento no seu devido lugar, para que o rendimento de cada atividade se opere com a maior eficiência, e com essa alegria produtiva que é a condição indispensável para que os países, como as escolas, prosperem e sejam uma realidade útil e bela.

Claparède falava, há dias, sobre a importância da psicologia nas relações internacionais.

Nós, nesta rude, mas esperançosa prova por que acabamos de passar, temos, também, uma oportunidade para refletir sobre os resultados que os governos podem obter no estudo da psicologia do seu povo.

Há, mesmo, um documento curioso para ser estudado com atenção.

É o discurso feito pelo almirante Pinto da Luz à guarnição do *São Paulo*:

> O *São Paulo* está pronto a partir para cooperar na defesa da ordem e da lei, como já o estão fazendo, dedicadamente, os outros navios da esquadra, e eu, exultando com isso, venho desejar a todos que servem a seu bordo as maiores felicidades na comissão que vão desempenhar, para glória e honra da Marinha.
>
> Glória e honra da Marinha, sim, porque o cumprimento do dever, que todos nós estamos realizando, sem ódios ou rancores, sem preocupações políticas, neste momento difícil da vida nacional, há de passar à História como exemplo de lealdade aos compromissos assumidos, perante a Bandeira da Pátria, por todos que formam a Marinha de 1930, essa Marinha a cuja testa eu me encontro com orgulho, essa Marinha que é, porque merece ser, o orgulho de todos nós.

> O *São Paulo* parte e a Nação, pelos seus poderes legitimamente constituídos, lhe diz, por meu intermédio: "Boa viagem e feliz êxito na patriótica comissão que te está confiada; segue com a certeza de que nós aqui cumpriremos também o nosso dever, aconteça o que acontecer". A ordem e a lei não podem desaparecer do Brasil sem o deixarem aniquilado para todo o sempre. Na defesa dessa ordem e dessa lei, é que está a Marinha, por todos os seus elementos, firmes, coesos, em torno da Bandeira Nacional, da Bandeira em que, a cada instante, lemos "Ordem e Progresso"; ordem que precisamos restabelecer para que o Brasil possa enveredar de novo pelo caminho do progresso que o há de levar aos seus grandes destinos, no conjunto das nações.
> Viva o Brasil! Viva a Marinha!

Não sabemos que ordens levava o *São Paulo*. Mas, segundo o discurso, tratava-se de "cumprir o dever", cumprimento do dever, esse, que significava "o compromisso assumido perante a Bandeira da Pátria" etc.

Perdoando a essa alocução toda a fileira de lugares-comuns que ela é, de princípio a fim, gostaríamos de lembrar que a Bandeira da Pátria nem sempre é "o poder constituído", essa famosa entidade que serviu para estandarte de todos os crimes do regime deposto. O poder constituído só é, realmente, a expressão de uma pátria, de uma bandeira, quando representa a vontade do povo. Porque as leis só são leis quando correspondem, também, à sua vontade. De 1889 para cá é preciso que se compreenda assim, porque se estabeleceu que o Brasil passava a ser uma democracia...

Mas, o grave erro psicológico está no tom desse discurso todo que mais parece de saudação festiva, que de incitamento guerreiro contra brasileiros, numa hostilidade intrafronteiras.

Desejar, aos nossos bravos marujos, as "maiores felicidades", num caso desse, e dizer – um ministro! – que está exultando com a sua partida é uma revelação de loucura momentânea, só explicável por um súbito abalo geral, proveniente de um formidável choque...

Em toda essa literatura sem eloquência nem elevação nem uma só palavra que significasse a tristeza de pôr irmãos contra irmãos, lamentando a contingência, que a tal, por acaso, obrigasse...

Uma frieza, uma secura de coração, uma limitação de vistas que à própria guarnição do *São Paulo*, certamente, não passou despercebida.

O engodo daquele "para honra e glória da Marinha" teria sido, talvez, a principal ou única tentativa de sugestionar os ouvintes, perspicácia vulgar dos que estão habituados a conduzir criaturas pela fraqueza da vaidade...

Mas, a nossa Marinha sabe bem o que é honra e o que é glória!

Tanto o sabe que, na manhã de 24, se colocou ao lado do Exército, na obra que é, justamente, a dignificação da bandeira, a defesa da pátria, a substituição do Brasil de leis iníquas por um Brasil, íntegro e são, que seja a síntese da vontade do povo, aviventada pela aspiração e o trabalho de cada um.

Esse gesto vale por uma confirmação do formidável erro psicológico de um ministro, como a Revolução, em conjunto, é um protesto contra a falta de psicologia do governo todo.

Rio de Janeiro, *Diário de Notícias*, 4 de novembro de 1930

O Ministério do Trabalho e a educação

A futura criação do Ministério do Trabalho não deve passar despercebida a nenhum professor que realmente esteja mergulhado nas preocupações da Nova Educação.

Todos sabem que o verdadeiro sentido das reformas educacionais modernas se baseia na necessidade de permitir o desenvolvimento normal e completo das criaturas, que a organização social tem, até aqui, desigualmente contemplado, criando, dentro de uma mesma humanidade, separações, inferioridades, desequilíbrios de toda espécie.

Os professores sentem todos os dias as grandes dificuldades que têm a resolver no exercício das suas funções, pela variedade de tipos de alunos que enfrentam. Essa variedade depende, em muitos casos, dos ambientes diversos em que eles se desenvolveram na sua vida pré-escolar, nas impressões físico-psíquicas que receberam, e que lhes deram a fisionomia com que se irão desenvolvendo até se apresentarem como adultos.

Na vida de adultos, ainda essa fisionomia se manterá, com os seus aspectos especiais, e assim se fixarão esses elementos, na coletividade, já diferençados de outros, pela herança que vêm arrastando de uma repartição desigual e perniciosa das possibilidades de uma completa expansão das faculdades humanas, ou mesmo da anulação ou rebaixamento dessas faculdades.

O educador tem sempre por ideal elevar cada aluno a um máximo de desenvolvimento, para o entregar à sociedade como uma vida plenamente formada. Mas, em contraste com as intenções dos educadores, os fatores comuns da vida estão geralmente concorrendo para tornar heterogêneos a classe, a escola, o mundo.

Do desespero de uma solução para toda a desarmonia reinante, já se conhecem as tentativas mais ou menos violentas, mais ou menos entusiásticas, mais ou menos angustiosas e mais ou menos infrutíferas que têm ocorrido aos habitantes da terra.

O educador sabe que, pelo seu esforço contínuo, pelas providências de ordem técnica de que pode lançar mão, será capaz de ir atuando lenta mas profundamente na alteração dos cenários e das coisas humanas.

Mas ele sabe também que, enquanto os governos não se interessarem por estabelecer cá fora, na vida, as necessárias modificações, seu trabalho terá de ser muito difícil, e de resultados insignificantes. E, por muita que seja a sua coragem, não deixará ela de ter suas sombras de desânimo, de quando em quando: sombras que provêm menos da tristeza de trabalhar em vão do que de se ver manter à superfície do mundo todo o desequilíbrio das vidas, gerador de sofrimentos e de ódios.

O Ministério do Trabalho propõe-se a estudar e resolver a questão social.

Nessa intenção reside uma infinita esperança para os professores, que o são, realmente.

Eles acompanharão com o maior interesse todo o movimento que se fizer nesse sentido. Porque a pedagogia não é abstrata: ela forma o indivíduo para a coletividade. É necessário estar ao corrente das transformações que nessa coletividade se verifique, para se poder estar à vontade, na situação de professor.

Rio de Janeiro, *Diário de Notícias*, 7 de novembro de 1930

Política e pedagogia

O momento que atravessamos dá margem a que se estabeleça, mais uma vez, o paralelo entre o governo e a escola, paralelo tão próximo que, de vez em quando, pedagogia e política deslizam na mesma linha de coincidência.

O mesmo que a democracia, entre nós, tinha sido para o povo foi também a escola para a criança.

Criado para servir os interesses da multidão, devendo ser, por isso mesmo, a expressão das aspirações, dos desejos, das vontades dessa multidão, que sintetizava em um pequeno núcleo de dirigentes, o nosso governo permaneceu alheio às inquietudes do povo, em choque com os seus interesses, despreocupado pelas suas tendências, desatento a todas as circunstâncias e variações psicológicas que são os fatores vitais de uma nacionalidade.

A escola, criada também para servir a criança, não pôde e não soube, por muito tempo, compreender o papel que tinha a representar, para corresponder ao sentido que lhe pertencia. Não desceu a penetrar na alma simples e complexa, ao mesmo tempo, da infância. Fechou os olhos aos fatos particulares desse mundo, que era a sua razão de ser, e pôs-se a apregoar em todos os discursos de festas cívicas que *o livro era a redenção*; que *a instrução é o facho que ilumina os caminhos da liberdade*; que *não há pior cativeiro que a ignorância*, a proverbial mãe de todos os vícios, – exatamente como os governantes diziam, com essa gravidade doutoral e imperturbável das frases feitas: *todo cidadão deve cumprir com o seu dever eleitoral; a pátria é a autoridade constituída; quando um país se desvia da ordem, não pode atingir o progresso; atentar contra o governo é atentar contra a própria bandeira...*

Tudo isso por quê? Porque os governantes sempre pensaram mais em si, no seu conforto, no seu sossego, e no seu prestígio, do que no conforto, no sossego e no prestígio do povo.

Exatamente como os professores pensaram, diante dos seus alunos.

Oh! dirão alguns, mas os professores trabalhavam, iam à escola, falavam todo o dia, assinavam o ponto à hora certa...

Justamente: os governantes assinavam papéis (muitos papéis, principalmente...), abriam estradas, levantavam edifícios, celebravam contratos etc.

Todos estavam ativos. Mas a atividade só é coisa importante quando possui uma orientação adequada.

Os governantes davam à sua o rumo que lhes convinha, pessoalmente, mais do que o rumo *necessário*.

Os professores fatigavam-se enormemente, todos o reconhecem, e ninguém irá afirmar que tinham as mesmas inclinações dos governantes, nem que alcançavam os mesmos resultados... Apenas, tinham, com eles, de comum, o desacordo entre o que eram e o que exigiam as suas funções.

Os governantes diziam, por exemplo: *só se deve dar crédito ao que vem nos comunicados oficiais*. Os professores ponderavam aos alunos: *façam só como eu lhes digo: não se mexam nos bancos, não conversem com os colegas, não queiram saber mais do que vem no livro, não façam perguntas aos mais velhos...*

Felizmente, a Revolução, para as crianças, veio antes da Revolução do povo. As escolas foram transformadas antes de raiar o 24 de outubro, e constituíram, ainda dentro do cárcere da "legalidade", a mais pura esperança de um Brasil Novo, que viria com a transfiguração das crianças de hoje, embora em data incerta, pela força da educação.

Agora, que a Revolução vitoriosa constrói com os homens que resistiram aos males do regime uma época diferente, agora que a política e o magistério caminharão paralelamente com eficiência, depois de o terem feito perniciosamente, o povo observa a forma que tomam os seus ideais, para os defender; como as crianças não podem fazer o mesmo, diante dos seus, os professores é que têm de estar nesse lugar, com aquela atitude que a honra à sua profissão lhes está indicando.

Rio de Janeiro, *Diário de Notícias*, 16 de novembro de 1930

O que se espera e o que se teme

Já temos comentado aqui, e, aliás, com o maior entusiasmo, o interesse que vem despertando, simultaneamente, nos mais diversos pontos do Brasil, o problema da educação, dentro das fórmulas modernas de formação integral da criança, em conformidade com o ambiente que a aguarda, e respeitadas as suas condições de unidade humana e social.

Nada melhor, sem dúvida, do que essa atenção coletiva prestada à questão de tamanho valor, de que depende a própria nacionalidade, e não apenas ela, mas também essa fraternidade internacional que é o sonho dos homens em cujo espírito se aboliram todos os símbolos de guerra, e em cujo coração há lugar para todas as pátrias, e amor e generosidade para todas as criaturas.

O que se deseja, pois, é justamente isso: que todas as pessoas capazes se interessem pela educação, e trabalhem por ela, preparando a nova pátria de que precisamos, e a que a Revolução garantiu possibilidades de existência. Há sempre ideias, aqui e ali, aproveitáveis ou sugestivas. É preciso recebê-las, embora entre outras, sem nenhuma significação, pois desse confronto, dessa aproximação de motivos de idealismo é que deve surgir uma fórmula adequada à necessidade brasileira.

Espera-se que a fórmula venha o mais breve possível, que a traga um administrador de visão larga e segurança de cultura geral e especializada, capaz de coordenar e selecionar esses motivos, sabendo bem o que faz, por que o faz, e como o faz. Disso depende a consolidação da obra revolucionária. Os autores da Revolução estão responsáveis por essa obra, que sustentará através do tempo os ideais que os movimentaram, defendendo-os das consequências perigosas que sobreviriam a uma irrupção do espírito reacionário oriundo da educação do velho regime, ou, antes, daquilo a que se dava o nome de educação.

Isso é o que se espera. E o governo não pode faltar com a sua boa vontade e a sua clarividência, em questão de tal monta.

Agora o que se teme é essa *confusão* de ideias que, às vezes, substitui a seleção de ideias. É essa *precipitação* de fatos que, às vezes, aparece em lugar do *desenvolvimento* de fatos. É essa realização vasta e firme de uma obra, muitas vezes prejudicada por iniciativas desencontradas, planejadas ao acaso e postas em execução por tentativa...

Uma obra de educação é coisa de grande gravidade para qualquer país. Precisamos encontrar quem seja capaz de a compreender com sutileza e critério, quem a possa abarcar por inteiro com a sua inteligência, ainda quando tenha de reunir elementos de sua confiança – e da confiança dos entendidos – para lhe dar essa riqueza de detalhes que muitas vezes é impossível uma pessoa só descobrir e aproveitar.

Em educação, os improvisados, os amadores, os teóricos devem ser olhados com suspeição. Pedagogos de última hora, que aparecem querendo construir renome com seus empirismos, devem ser postos discretamente à margem da obra de educação nacional. Aliás, é muito fácil encontrar os defeitos e as qualidades dos que gravitam em torno do problema. Pode ser feita a revisão dos seus trabalhos anteriores. E dessa revisão se pode extrair um juízo, honesto e isento.

Rio de Janeiro, *Diário de Notícias*, 9 de janeiro de 1931

Como se originam as guerras religiosas

O sr. Getúlio Vargas, assinando o decreto antipedagógico e antissocial que institui o ensino religioso nas escolas, acaba de cometer um grave erro. É preciso que se diga isso com sinceridade.

Este decreto vai ser a porta aberta para uma série de tristes ocorrências. Por ele poderemos chegar até às guerras religiosas.

É justamente em atenção aos sentimentos de fraternidade universal que a escola moderna deve ser laica. Laica não quer dizer contrária a nenhuma religião; significa, somente: neutra, isenta de preocupações dessa natureza.

A educação moderna fundamenta-se na evolução biológica do indivíduo. É um princípio mundialmente aceito, em pedagogia, que o ensino deve seguir passo a passo o desenvolvimento regular, pela intromissão de dados em desacordo com as suas várias etapas. Só por aí se vê que o estudo de uma religião qualquer não é adequado a crianças nem a mocinhas de liceu, – desde que se pretenda fazer, na verdade, alguma coisa séria, eficiente, de significação profunda e dignificadora.

Além disso, como a criança não joga com *ideias*, mas com *fatos*, dentro do atual conceito pedagógico – apoiado em todo o enorme trabalho de verificação experimental que se vem realizando nos centros mais cultos do mundo, – a sua formação moral não pode depender de fórmulas abstratas, decoradas em textos religiosos, mas no próprio exemplo que lhe é fornecido diariamente, pelos que a rodeiam, na escola, no lar, na vida. Ela será, fatalmente, o produto desse ambiente. E como é comum os livros de religião dizerem uma coisa e os adeptos dessa mesma religião fazerem outra absolutamente oposta, a criança chega, fatalmente, à descrença, ao ceticismo, ou ao cinismo, conforme o jogo dos fatores, na elaboração desse produto... Logo, o ensino religioso é também contraproducente. Nem há maior inimigo de uma religião que um espírito verdadeiramente puro que dela saiu forçado pela verificação da hipocrisia dos que a pregam.

Mas ainda há mais. Como as crianças desconhecem o problema de que tratam, em toda a sua extensão, como não podem refletir sobre ele, não sabem o que significa, e recebem os mais vários e nocivos estímulos do mundo dos adultos, acontece inevitavelmente que as crianças que estudam uma religião dirão, às de outras, sem saber o que dizem, e o mal que estão causando, por culpa deste decreto:

– Que vergonha! o seu pai é protestante...

– Vergonha para você, que é filho de católico!

– Chi! aquele é espírita!

– Aquele ali é positivista!

– Que é positivista?

– Não sei, não... É maçom...

– Maçom?

– É... Tem parte com o diabo...

– Credo!

Por aí afora...

Se o ministro da Educação tivesse ouvido falar em psicanálise e na influência das emoções da infância sobre a personalidade, ainda que fosse fanático de qualquer credo, não se quereria comprometer tão seriamente com o futuro e com a melhor parte da consciência nacional, que é justamente aquela capaz de acatar todas as crenças em atenção à paz universal, e em não pregar nenhuma nas escolas para não atentar contra a liberdade de pensamento junto às criaturas indefesas como são os alunos, ainda incapazes de reagir contra as forças que os oprimem. Assim também evitaria influir perniciosamente sobre a própria formação biológica da criança e dos adolescentes, obrigados a tratar de assuntos que não lhes são acessíveis, em virtude da desproporcionalidade em que se encontram para com as suas próprias funções orgânicas.

O mal, porém, está cometido, e só resta a esperança de que possa vir a ser reparado com um governo mais coerente com a Revolução, e realmente interessado pelo bem-estar do povo, quer dentro dos limites nacionais, quer na sua projeção fraternal no mundo.

Rio de Janeiro, *Diário de Notícias*, 2 de maio de 1931

As crianças e a religião

Só um perverso seria capaz de acusar a criança, em estado de pureza, – isto é, sem a marca da opressão de nenhum adulto, – como um objeto satânico. Ninguém, igualmente, a não ser um perverso, interessado em demonstrar qualquer coisa de seu interesse, – embora por esse vergonhoso preço, – será capaz de lhe atribuir um estado de natural imbecilidade.

Pois a criança em estado de pureza, e que não é nem um objeto satânico, nem um caso de anomalia mental, não tem, absolutamente, nenhuma preocupação religiosa. É, certamente, um escândalo para os sufocadores da verdade. Mas é uma constatação que qualquer pessoa de boa vontade pode fazer, por si mesma, e com todas as garantias de completa isenção.

A criança encara o mundo, observa os fatos, e, ou os estuda sozinha, comparando, experimentando, construindo, ou recorre, de vez em quando, a uma explicação dos adultos *enquanto merecem a sua confiança. Enquanto merecem a sua confiança* – faço questão de o frisar, porque a criança é inflexível na sua justiça.

Acontece, frequentemente, que famílias piedosas, desejando desde cedo voltar a atenção dos filhos para as coisas metafísicas, sem consultarem, no entanto, a psicologia, põem-se a inventar coisas destas:

– Estás ouvindo o trovão? É Deus, lá no céu...

(Isto me faz logo pensar em Tupã...)

Se há uma epidemia de gripe ou de tifo, é Deus que se anda vingando, – exatamente como no tempo da guerra de Troia, com Efigênia sacrificada a Diana para o vento soprar nas naves...

E a criança, de tanto ouvir falar nessa *espécie* de divindade, acaba dando-a como causa de todas as coisas, principalmente das coisas ruins, que são as que mais a preocupam, justamente pelo contraste com a sua natureza, e porque não são socorridas por uma explicação clara, simples, científica, verdadeira.

Ora, todas as coisas admitem uma explicação dessa espécie. Porque Deus é Beleza, Verdade, Clareza, Ciência, Arte, Vida.

Por que, então, dá-Lo à criança debaixo de um aspecto de terror? Nem ao menos, aliás, é um terror-símbolo como de Durga ou de Shiva, no vastíssimo e imaginoso panteão hindu, porque a criança não pode apreender essas coisas sutis que as mitologias elaboram lentamente e, uma vez caídas nas mãos do vulgo (tal qual nas suas) incapazes de as compreender em toda a sua sutileza, se convertem em superstição grosseiríssima.

Ah! por que dá-Lo à criança?

– Porque a criança precisa ter medo de qualquer coisa, dirme-ão certos pais. Certos pais com alma de tiranos, construtores não de filhos, mas de escravos.

E é assim que a humanidade vai progredir? Pelo impulso do medo?

Por isso é que digo que este ensino religioso nas escolas, que um ministro irresponsável decretou, e um presidente desatento (ou hábil...) sancionou, é um crime contra a coletividade, contra a Nação e contra o mundo, contra os brasileiros e contra a humanidade, porque não se vive, apenas, nos limites geográficos de um país: nossas responsabilidades atravessam as fronteiras, e vão repercutir na fraternidade geral.

Porque o que vai ser ensinado às crianças não é Deus, é o diabo. Não lhes vão falar no espírito imortal da vida, na sua grandeza, e no seu mistério. Para isso, não seria preciso uma aula especial de religião: bastaria a contemplação respeitosa de uma planta que cresce, de um animal que vive, da luz de uma estrela, do desenvolvimento de uma flor. Isso pertence à pedagogia moderna.

Vão falar é no inferno que queima os insubmissos, na mentira, na cobiça, na castidade, todas essas coisas que fazem do decálogo – possivelmente muito útil, na época para a qual foi composto – uma das coisas mais antipedagógicas neste momento.

As crianças não chegarão a perceber a divindade, não só porque não é conhecimento adequado às suas faculdades, como pela maneira por que lhe vão ministrar. Mas ficarão respeitando os chavelhos do diabo, e todas as tentações da carne que deixam a perder de vista as supostas imoralidades da educação sexual.

Os adolescentes, pode ser que cheguem a entender alguma coisa. Porque esses estão numa idade cheia de perigos, – sentimental, vibrátil, romântica. Embriagados de incensos, com a imaginação transviada para abstrações facilmente pecaminosas, com o famoso terror do diabo e alguns exemplos eloquentes de hipocrisia moral, ao sabor de uma época em que a força dos revoltados esquece, às vezes, que é preciso perdoar sempre, – convencida de que se costuma abusar demais dos generosos, – estaremos assim, com uma juventude preparada para a debilidade dos Junqueiras Freires e das Bovarys, – juventude que, para se salvar, só poderá lançar mão de um processo ainda mais covarde que a sua vida: a manha de dizer que *sim* com a boca e *não* com o pensamento, e ir fazendo às escondidas todas as coisas tortas que puderem, em troca das direitas, que não aprenderam a fazer.

Rio de Janeiro, *Diário de Notícias*, 5 de maio de 1931

O ensino religioso nas escolas

Este decreto do sr. Francisco Campos, sobre o ensino religioso nas escolas, teve uma repercussão muito interessante e digna de nota.

De todos os pontos do país, protestantes, espíritas, positivistas e livres-pensadores apressaram-se em solicitar ao sr. Getúlio Vargas um minuto de prudência, antes de sancionar o malfadado decreto. Como essa prudência, a despeito da expectativa geral, falhou, os mesmos protestantes, espíritas, positivistas e livres-pensadores vêm, dia a dia, apresentando pedidos de revogação dessa surpreendente medida antidemocrática com que, depois de quarenta anos de liberdade de consciência, está sendo ameaçado um país que sai de uma revolução de fins liberais.

Já não nos interessa saber o resultado desse estado de coisas. Seja qual venha a ser, arrastará consigo os seus resultados mais remotos, – e cada um terá de sofrer as consequências do que provocou.

Mas o que me interessa particularmente é o fato de protestantes, espíritas, positivistas e livres-pensadores se apressarem a tentar remover um decreto que cada um poderia egoisticamente aplaudir, visando fazer prevalecer a sua crença, e servindo-se desta oportunidade para uma intensificação de propaganda.

Todos esses que, de dentro das suas convicções pessoais, só têm, neste momento, palavras de isenção, de delicadeza espiritual, de fraternidade, desejando – em vez da medida proposta – outra, que garante a tranquilidade nas escolas, e o convívio mais fraternal da infância, estão dando uma prova perfeita da verdadeira religiosidade, tal qual se sonhada pelos idealistas da pedagogia, – não pelos políticos de crença duvidosa e espiritualidade proporcional à sua crença.

Num ponto, com efeito, coincidem todas as religiões. No seu sentido de religiosidade. As fórmulas, o ritual, a doutrina, o chefe variam cada uma. Mas a tendência íntima do homem para Deus, o sentido da vida, e as suas relações com o universo, tudo isso anda tão próximo, em todas, que dois devotos – de verdade – de duas religiões diferentes podem sentir-se como irmãos, cada um no seu rumo.

É esse sentido de religiosidade que se depreende da atitude de protestantes, espíritas, livres-pensadores e positivistas, todos eles retraindo-se diante do decreto malfadado, e pedindo a sua revogação, como o meio ainda mais simples de lhe retirar a nocividade.

O mundo não para de rodar por essas coisas... A vida continuará, com o seu ritmo, e o tempo se encarregará de provar quais eram os bem-intencionados.

E qualquer que seja o futuro, estas vozes que hoje se unem num pedido elevadíssimo, sejam ou não sejam ouvidas, ficarão gravadas na memória da humanidade, tão bem como as vozes que, por desgraça, neste momento se calem, ou por esquecimento ou por egoísmo ou por ignorância.

Rio de Janeiro, *Diário de Notícias*, 10 de maio de 1931

Entre as pontas do dilema

Sobre os conhecidos acontecimentos de Coqueiros, o professor Juliano Moreira deixou, com a sua enorme e consciente responsabilidade de cientista, estas palavras prudentes:

"Temos bem mais duradouros males a cuidar! Para os análogos aos de Manuelina, melhor é educarmos as massas populares. É um bom conselho de bem orientada higiene psíquica."

Certamente, como cientista – e a ciência faz questão de ser, acima de tudo, verdadeira – o ilustre professor quer fazer compreender que um povo educado, capaz de distinguir o verdadeiro do falso, capaz de pensar *por si*, capaz de sondar cada fenômeno, para o situar devidamente, e o julgar de acordo com a cultura do mundo, – ficará, por isso mesmo, a salvo de superstições e fanatismos, ainda tão comuns de aparecer nos tempos de hoje.

Focaliza, pois, o professor Juliano Moreira o problema da educação, tal como o defendemos diariamente nesta "Página", como a fórmula de levar os indivíduos ao caminho da liberdade – que é também o da responsabilidade, – pelo desenvolvimento sadio das suas capacidades, dentro dos mais severos princípios de isenção da parte do educador, no que se refere à imposição de credos, ideias e opiniões pessoais.

Ora, eu não compreendo como se possa, daqui por diante, chegar a esse estado de adiantamento que o professor Juliano Moreira tão bem conhece, na tentativa atual e simultânea de todos os povos que se jactam de civilizados, – uma vez que o ministro da pasta responsável por essas coisas imaginou um decreto muito Idade Média, cuja finalidade prática, todos o sabem, é meramente política, mas cujos efeitos futuros serão, desgraçadamente, os mais nefastos à formação e ao progresso da nossa nacionalidade, e até do mundo.

Além de todos os males que decorrem do ensino religioso na parte referente à inadaptabilidade desse ensino às crianças das escolas primárias, é preciso tornar bem claro que o simbolismo das religiões tem de fatalmente se converter em superstição desde que não seja exposto a criaturas com a necessária capacidade para os compreender. Não falo de nenhuma religião particular. Falo de todas, ao mesmo tempo, – porque não condeno o ensino de uma determinada, mas o de todas elas, e unicamente porque religião não é conhecimento que caiba nos quadros pedagógicos, nas escolas infantis. Aliás, nas escolas secundárias ou superiores, admitir-se-ia uma cadeira de ciência das religiões, de religião comparada, de filosofia das religiões, – ou qualquer outra coisa nesse gênero, mas sem cair num determinado proselitismo.

Se as escolas primárias, pois, e todas as outras começarem a dar margem a superstições e fanatismos – porque é preciso passar nos exames! é preciso decorar as coisas mais absurdas, para conquistar os examinadores! – como é que chegaremos àquela educação das "massas populares", que o dr. Juliano Moreira tão superiormente recomenda como "um bom conselho de higiene psíquica"?!

Veja o leitor como tudo anda trocado neste mundo: o dr. Juliano Moreira, que nem diretor do Hospício é mais, sabe dessas coisas. O ministro da Saúde Pública, não...

Rio de Janeiro, *Diário de Notícias*, 14 de maio de 1931

Aquele desastrado decreto...

Em vão o ditador Getúlio Vargas tem explicado com a sua amabilidade costumeira – que já lhe ia conquistando tantas simpatias no Rio!... – o espírito eclético do desastrado decreto do ex-ministro da Educação. Em vão, – porque ninguém acredita na vastidão desse ecletismo, e os próprios fatos todos os dias se estão encarregando de demonstrar a verdadeira acepção em que o decreto deve ser tomado.

Do ponto de vista educacional, já analisamos aqui todos os prejuízos que resultarão, fatalmente, para a fraternidade humana, – que começa nos bancos escolares, – desde que entre em vigor o ensino religioso nas escolas, apesar de todos os protestos do povo, que, afinal de contas, a gente pensava que mandasse alguma coisa, no regime democrático...

Essa separação fatal que se estabelecerá entre as crianças e os adolescentes, e que os fará vítimas dessas simpatias que, estranhas a toda justiça, contrárias a toda noção de valor, de mérito, de capacidade, vão dispondo os homens nos cargos principais da vida segundo os interesses dos governantes, nós a prevíamos como uma consequência ainda remota, com a boa vontade de crer que as coisas se iriam passando, pelo menos, com certa precaução, torcendo-se os espíritos desde a infância, para resultados mais longínquos, mais discretos, mais velados, – como na grande maioria dos casos costumam agir os indivíduos de tais propósitos. Mas não. Os primeiros gestos mais nítidos, capazes de definir por que rumo pretende ir a questão religiosa, que esta enganadora Revolução fez surgir, esboçam-se com toda a segurança, despudoradamente, mesmo, depois de um movimento que sempre se fez passar por liberal, e só por isso encontrou repercussão na alma do povo.

O ministro José Américo, que tinha tido tão boa acolhida na sua aparição no cenário do governo, em virtude de *A bagaceira*, livro tão humano, tão revelador de inteligência, compreensão de certos aspectos da vida brasileira e certo sentimento dos fatos, ao mesmo tempo individuais e nacionais, – o ministro José Américo, com esta subscrição que encabeçou entre funcionários do seu Ministério para pagar o transporte de uma imagem religiosa, está manifestando uma compreensão retrógrada da expressão *liberal* que, como escritor, pelo menos, não devia deixar de entender perfeitamente...

A coisa vai passar-se desta maneira: os funcionários católicos (católicos, quer dizer, que estudaram o catecismo, em pequenos, fizeram talvez a primeira comunhão, casaram também na igreja e batizaram os filhos), – uns por hábito, outros por praxe, e alguns por fanatismo, decerto, – assinarão pressurosos a lista, sabendo que ela vem direitinha do ministro, e que um ministro, apesar de tudo, ainda é um personagem que convém não desagradar... Qualquer leitor de Eça de Queirós conhece dessas mentalidades...

Agora, nas repartições, naturalmente, não haverá só católicos, por muito que se deseje garantir que, no Brasil, eles são uns quarenta milhões...

E os funcionários espíritas, protestantes, teosofistas, e alguns que cultuam Xangô e Iemanjá ficam na seguinte situação: assinam ou não assinam? Acontece que nenhuma dessas religiões é intolerante. Todas elas pregam o perdão, a solidariedade, e, o que é mais, todas se respeitam mutuamente, e até às que não as respeitam. E, então, muito funcionário que apenas é cristão por bondade natural, para não estar discutindo, perdendo tempo (e... e alguns para não arriscar também a sorte do emprego...) vai botar o seu jamegãozinho por baixo do jamegãozão dos chefes, aumentando, sem o suspeitarem, a lista infindável dos católicos militantes do Brasil...

Agora, há os ateus ferozes, os positivistas, os maçons, – toda essa gente *herética* que tem relações com Belzebu, mas que talvez ainda *in extremis* se possa redimir, por um lapso da vontade... Esses, como vão resolver a sua situação?

Se forem mesmo heróis, deixam a linha em branco. Mas... e se não forem? O heroísmo anda tão raro, entre nós, apesar de estarmos em tempos épicos! Esse horror de vir a sofrer perseguições futuras, – que só os desassombrados, independentes e realmente corajosos afrontam com destemor – pode levá-los ao gesto miserável de subscrever uma lista que a sua consciência repele, mas de que a sua vida pode depender.

Eis o que está gerando a Segunda República. Possibilidades de hipocrisia, possibilidades de pavor, – e, para os que conhecem um pouquinho os problemas psicológicos, possibilidades de ódio profundo, de todas essas consciências contrariadas por um governo que devia facilitar o seu desenvolvimento criador, se é que pretende ser um governo de liberdade, como dizem.

Enquanto isso, os estudantes continuam queimando livros e jornais católicos dentro de Roma. O povo anda queimando conventos jesuítas na Espanha, sem falar em outros sucessos mais.

Tudo porque se inventaram essas separações entre os homens, separações que não são as religiões que produzem, enquanto pretendem ficar no domínio religioso, que é verdadeiramente o seu. Separações que advêm de religiões que cobiçaram fazer, antes de tudo, política imperialista, sem se importarem com os processos de que lançam mão, contanto que possam alargar os seus domínios, e emprestando ao seu Deus um feitio monstruoso, pois a sua divindade se nutre da desgraça humana, da humilhação e da mentira, da fraude, da opressão e da guerra...

Rio de Janeiro, *Diário de Notícias*, 29 de maio de 1931

Aguardando...

Depois deste caso ruidosíssimo do Ministério da Viação, em que o sr. Francisco Campos fica numa atitude tão espantosamente em desacordo com aquela sua piedosa vocação sintetizada no decreto religioso, já não se sabe o que esperar do sr. Getúlio Vargas, cujos secretos pensamentos têm qualquer coisa de profundamente hierático e faraônico.

Para uma pessoa comum, simples, que age com a espontaneidade natural da vida, sempre que tem de intervir nos fenômenos diários, o sr. Francisco Campos, neste instante, teria de deixar discretamente o Ministério, que ainda oficialmente ocupa, embora há muito se tenha exonerado a si mesmo das funções de que tinha sido investido, numa tácita exoneração por prova pública de desconhecimento da atualidade educacional.

Com o sr. Getúlio Vargas, porém, que, talvez por motivos sutis e talvez também indispensáveis, vem fazendo passar a sua atividade e o seu poder de ditador ameno pelos mais misteriosos caminhos, a gente fica diante deste caso vendo um tremendo ponto de interrogação crescer pelos ares, pousando ora sobre um ora sobre o outro dos dois Ministérios em luta.

Que vai acontecer depois disto?

Que nos digam os astuciosos ou inocentes católicos que se hajam regozijado com o decreto político-clerical onde está a autoridade do jovem e ambicioso ministro para ousar falar na palavra *religião*, já tão explorada e desmoralizada, através dos tempos e dos povos, a serviço de interesses confusos.

Que nos digam a espécie moral que crescerá nas escolas futuras bafejadas pelas tendências piedosas de quem, naturalmente, se suporia que ainda defende a balela de não haver moral laica (essa coisa tão explorada pela ignorância e a maldade) se acaso não se soubesse que se recusou a assinar, em Minas, idêntico decreto, porque as possibilidades também eram outras...

Que nos digam, principalmente, antes de tudo, antes de detalhes, com que autoridade pode ainda manter o título de ministro de qualquer coisa, e muito menos da Educação, alguém que assim aparece em tão formidável situação depois de um movimento revolucionário que, segundo se propalava, vinha pôr termo à fraude, à cupidez, à mentira e outras coisas que as religiões todas, unanimemente, condenam.

Depois daquela carta sintomática ao sr. Gustavo Barroso, depois do fracasso das reformas, depois do desastre das taxas, depois de contradanças de nomeações, depois, enfim, do decreto-monstro, – como é que o sr. Francisco Campos poderá enfrentar a mocidade, de olhos curiosos, investigadores e idealistas, que, desgraçadamente para os que traem, tão prontamente se convertem em olhos sarcásticos, agressivos, desrespeitosos, à força de sinceros?

Esse Ministério da Educação que não tínhamos ficou, depois de criado, como alvo natural de todos os que se preocupam pelo progresso deste país, em que a cultura nunca foi capaz de respirar, debaixo da mordaça da politicagem.

É fitando este alvo que sentimos, agora, não a inutilidade de ter sido criado, mas a desgraça de o terem confiado a alguém que o veio assinalar de funesta maneira como uma experiência horrorosa para todos que por ele se interessaram com boa-fé.

E aturdidos, entristecidos, quase até envergonhados, esperamos a decisão do governo, neste caso que é um dos muitos que, pouco a pouco, irão desesperando as criaturas sinceras e dignas, que tinham chegado a crer na Revolução de outubro, apoiando os seus elementos de vanguarda, pelos intuitos que acreditavam neles existirem e cada dia se veem mais forçados a uma desilusão que ainda não querem.

Rio de Janeiro, *Diário de Notícias*, 25 de junho de 1931

Repercussões...

As palavras que já aqui escrevemos sobre a situação difícil em que se encontra o Ministério da Educação – precisamente por ser DA EDUCAÇÃO, – neste ruidoso conflito com o Ministério do sr. José Américo, não são apenas nossas. São de todos os que realmente estão vendo o problema brasileiro e humano da educação, tal como ele tem de ser visto. E aqui estão estas linhas da *Folha da Manhã*, de São Paulo, que queremos transcrever nesta coluna, para melhor frisarmos aquilo mesmo que já dissemos com palavras nossas, e que, à força de evidente, está no pensamento de todas as pessoas esclarecidas e bem-intencionadas, ainda quando o não revelem com uma palavra sequer:

> A sensacional comunicação feita, ontem, aos jornais, pelo ministro da Viação, continua a ser o assunto do momento. A imprensa toda ocupa-se dele e não há um só jornal independente que não estranhe, em termos severos, o silêncio em que permanecem o ministro da Educação e o secretário das Finanças de Minas.
>
> A situação, positivamente insustentável, deste último já foi analisada ontem mesmo, quando se conheceu a formal acusação de desonestidade formulada pelo sr. José Américo. Não é, porém, menos delicado o impasse em que se encontra o sr. Francisco Campos. Se o sr. Amaro Lanari é acusado, com provas insofismáveis, de fazer fornecimentos lesivos à Fazenda Nacional, o ministro da Educação é apontado como advogado administrativo, aproveitando-se de sua posição, de suas relações, do prestígio que o cerca como ministro do Governo Provisório e prócer da Revolução, para apadrinhar dilapidadores do erário público.
>
> Só por se tratar de um prócer revolucionário, um dos homens que pregaram a Revolução, arrastando o país às incertezas de um golpe armado e às vicissitudes de uma mudança brusca de governo, pela necessidade de uma regeneração dos processos políticos, o sr. Francisco Campos estava obrigado a dar o bom exemplo de não aquiescência às vantagens políticas ou pecuniárias, tão malsinadas na Velha República, e que servem de prêmio aos advogados administrativos.

Mas, s. ex.ª é bem mais. É ministro, e de uma pasta em cuja alçada está a educação das novas gerações, submetidas, assim, ao feio ensinamento da mais alta autoridade do ensino. Sua ex.ª, ainda, é juiz de um tribunal singularíssimo, da junta de Sanções, corte punitiva, armada de poderes só concedidos às inquisições, podendo julgar de pleno, encarregada de condenar, precisamente, os políticos que fizeram, entre outros, os crimes de que são acusados ele e o seu apadrinhado...

Ao que nos consta, dentre os processos a serem julgados proximamente, pela Junta de que faz parte o sr. Francisco Campos, figura aquele em que a firma O. Machado é acusada das irregularidades que lhe valeram a portaria famosa do Ministério da Viação. Como vai julgar o juiz Francisco Campos? Poderá, de consciência tranquila, opinar em um processo no qual foi advogado administrativo? Dar-se-á por suspeito? Mas, assim, s. exª terá mais, publicamente, autoridade para julgar, em outros casos, ele que não pôde julgar uma vez porque aproveitava os seus lazeres de juiz revolucionário para fazer a mais condenável das advocacias, aquela que lhe inspira, quando praticada pelos outros, penas extremas, como a cassação dos direitos políticos ou o sequestro dos bens, a título de indenização pública?

O que se sente, nas altas esferas políticas, é que um dos dois ministros em causa terá de se afastar. Ou sairá o sr. José Américo, *encerrando a sua carreira política*, conforme a ameaça de seu adversário, ou renunciará o sr. Francisco Campos. Na escolha, porém, o Governo Provisório definirá, para uso da 2ª República, o que é crime, se fazer advocacia administrativa, ou se denunciá-la, quando praticada por um ministro de Estado...

Pedimos licença aos colegas de São Paulo para apor aqui a nossa assinatura.

Rio de Janeiro, *Diário de Notícias*, 27 de junho de 1931

Legiões e religiões

A falecida Legião de Outubro, bem se pode dizer que agora já é uma re-legião, embora o trocadilho seja o pior possível, e talvez o sr. Maurício de Lacerda, que não perde oportunidades dessas, já o tenha feito em alguns dos seus desaparecidos artigos.

Mas não é só uma re-legião a legião. Mostra que é sobretudo o trajo secular de uma determinada religião, que o governo em vão tentou ocultar a este povo leal e generoso (que se bateu por ele, acreditando em liberdade), como sendo a religião aquinhoada no famoso decreto-monstro que o sr. Francisco Campos inventou, para servir a suas ambições pessoais, embora sacrificando o algum prestígio que diziam ter, e criando uma preocupação nacional, antes inexistente, e agora definida, que não se pode prever os resultados que dará, nos conflitos que, sem dúvida, vai promover, dentro da desgraçada família brasileira.

As palavras do sr. Capanema, declarando agora em Minas que "a legião reafirma todos os compromissos para com a Igreja, principalmente no que se relaciona com o ensino religioso e a validade do casamento religioso", vêm provar claramente a existência de um compromisso que se ocultava, porque só se *reafirma* o que já foi afirmado antes.

Ora, quando os primeiros protestos se levantaram contra o decreto abominável do ensino religioso nas escolas, as explicações reiteradas do governo, quer à imprensa, quer em telegramas a particulares, publicados nos jornais, procuraram sempre fazer crer numa absoluta isenção do governo em face das diversas religiões praticadas no Brasil.

O horror ao clero, esse horror que inspirou a restrição religiosa no México e na Espanha, e que foi a causa determinante do incidente ainda insolúvel entre Mussolini e o papa; esse justo receio de ver, por um golpe político (que a própria religião católica, se fosse na verdade Religião deveria repudiar), a liberdade de consciência estrangulada num retrocesso de civilização que o povo brasileiro, representado pela massa culta, não deseja e não quer, foi sempre habilmente acalmado pelo governo, que se valia do argumento de serem permitidas todas as religiões, nas escolas, desde que vinte alunos a pedissem...

Argumento para ingênuos. Os experientes não se contentaram com ele, e continuaram e continuam protestando, porque já conhecem os processos de que lançam mão aqueles que desejam governar o mundo pela astúcia.

Mas, com a declaração do sr. Capanema, ficam expostos os mecanismos desta Revolução que as criaturas de boa-fé supunham ia ter um desfecho favorável àquela liberdade tão apregoada pelos vanguardistas, e que, pelo que se está vendo, existia muito mais no governo do sr. Washington Luís, de quem todos os bons brasileiros começarão dentro em breve a ter profundas e legítimas saudades.

O sr. Francisco Campos, depois disso, já não perde mais nada. Tudo o que tinha a perder já o perdeu anteriormente, com as suas manobras ávidas, com o seu decreto, com o seu conflito com o Ministério da Viação...

Mas, agora, o sr. Getúlio Vargas fica em situação muito delicada. Delicadíssima. Porque foi ele quem assegurou sempre ao povo que o ensino religioso não viria favorecer nenhuma religião especial. Ora, se a legião *reafirma* os seus compromissos com a Igreja Católica... E se o sr. ditador disse que ia governar com as legiões...

Assim se desilude um povo. E não há nada mais grave que um povo desiludido...

Rio de Janeiro, *Diário de Notícias,* 3 de julho de 1931

Um problema insolúvel

Depois da Revolução, ficou absolutamente insolúvel o problema educacional do Brasil.

Pelo menos, enquanto estivermos com os personagens que se lançaram para a cena, não temos a mais fugitiva possibilidade de prever uma esperança para o início do estudo sério do assunto que, no entanto, é grave, gravíssimo, e devia ser a maior preocupação dos brasileiros que se abalançaram a fazer uma revolução para construir um Brasil melhor.

Brasil melhor só pode ser um Brasil novo, refeito, reconstruído de baixo para cima, – porque, em cima, como verificaram os revolucionários, tudo está errado, corroído pela política, e não há jeito de fazer boa obra nova com material tão velho e condenado.

O que se aproveita é o que ainda não chegou tão alto. É a infância; é a mocidade ainda sem compromissos; são as forças criadoras da pátria que ainda não se gastaram em interesses egoísticos, e em corridas loucas de ambição perniciosa.

Mas o Brasil está numa situação tremenda, em relação ao seu problema educacional.

Digamos que esse problema em parte repousa na alfabetização das massas. Não é propriamente alfabetização, mas cultura extensiva. Deixemos, porém, passar o termo mais conhecido e acreditado.

Existindo um Ministério de Educação, naturalmente criado para servir à população, e não ao ministro, parece admissível e aceitável que esse Ministério se interesse pela questão do alfabeto. Ele mesmo, com uma candura encantadora, se esforça por demonstrar esse interesse. Tanto que de vez em quando se fazem umas investidas com reformas, comissões, conselhos etc., cujos planos e resultados todo o mundo está vendo quanto valem.

Acontece, porém, que, junto com essa espécie de preocupação educativa, muito útil, possivelmente, para justificar a existência de um Ministério especial, mas completamente inútil para resolver o problema do Brasil, há uma outra, muito mais grave, porque diretamente ligada às conveniências políticas: a questão religiosa, ou melhor, o compromisso do *ensino católico* nas escolas, que, segundo se afirma, o sr. Getúlio Vargas, querendo ainda salvar a honra da revolução LIBERAL, resolveu chamar *ensino religioso*...

Ora, alfabeto e catolicismo (esse catolicismo que anda por aí) são duas coisas inconciliáveis, totalmente inconciliáveis.

Criou-se, pois, o seguinte dilema: o Brasil tem de ser ou *educado* ou *catolicizado*.

Qual das duas coisas convém ao povo? Qual das duas coisas é a necessária, a indispensável, a urgente?

Isso é o que a gente pergunta.

Mas há outra maneira de perguntar: Qual das duas interessa à política? Qual das duas interessa ao ministro? Qual das duas, pois, deve ser a preferida?

A cultura liberta. O catolicismo escraviza. E ambos os termos do dilema se repelem.

Os que estão com o povo sabem que precisamos de *educação*, acima de tudo, educação completa, integral, adequada, oportuna.

Os que não estão com o povo têm o direito de pensar de outra maneira. Mas, como consequência mesma desse direito, adquirem a responsabilidade de se declarar incompatíveis com uma Revolução que, como todas as revoluções, se fez à custa do povo, e em seu nome, bem como com um governo que garantiu ser liberal e, só por isso, deu origem a essa mesma Revolução.

Rio de Janeiro, *Diário de Notícias*, 18 de julho de 1931

Coisas evidentes

Depois de dez meses de regime revolucionário, já se tem o direito de perguntar por alguns resultados práticos desse regime. Não nos *altos* domínios da política. Nos domínios mais *rasos*, nos que estão mais diretamente junto ao povo, naqueles em que, justamente, está mais a representação da nacionalidade – uma vez que um povo não é uma elite, mas uma totalidade.

Ora, esses domínios são os da educação. E todos nós gostaríamos de saber o que se fez, em matéria de educação, nestes dez meses de um governo que se arriscou à aspiração de realizar coisa melhor que aquele derrubado em outubro.

Não vamos já falar do Ministério criado, com todos os seus erros, – porque quando falamos em coisas realizadas pensamos, está claro, em coisas úteis ou que, pelo menos, não cheguem a ser prejudiciais.

Vamos falar da Instrução Municipal. Vamos, mais uma vez, chamar a atenção para as duas fases desse problema tão bem encaminhado no regime anterior, e que uma administração qualquer, que não se esforçasse por demonstrar veementemente o seu completo desconhecimento do assunto da sua alçada, teria levado avante com facilidade, obedecendo apenas ao ritmo encontrado.

Quando todos pensavam que atrás da Revolução viria uma época mais clara para a contemplação das necessidades reais do Brasil, e, consequentemente, um interesse por essas coisas que a muitos governos do passado se perdoaria fossem consideradas fúteis, chegamos à evidência de um retrocesso que não só consterna, mas pode também revoltar.

A tentativa mais séria já levada a efeito entre nós para engrandecimento nacional deve ser buscada nesses movimentos educacionais que se marcaram indelevelmente, no Rio de Janeiro, no Espírito Santo, e agora há pouco em São Paulo com o sr. Lourenço Filho. Em todos esses movimentos, esteve presente a inquietação brasileira junto à inquietação humana; o nosso problema junto com o problema do mundo. Por isso, eles foram verdadeiros, profundos, e teriam de levar a resultados fatalmente certos, se a atenção dos governos não andasse tão lastimavelmente desviada por outras preocupações mais afastadas do justo interesse popular.

Para muitos, claro está que em dez meses não se pode fazer tudo. E é justo. Mas pode-se fazer alguma coisa. Podem-se, ao menos, perceber as intenções, e, se não aparecem os fatos, revela-se, ao menos, a esperança dos seus indícios.

Esses indícios é que entristecem.

E não é pessimismo. Qualquer pessoa que tenha olhos, e a coragem de os trazer abertos, pode ver claramente e convencer-se, com seriedade.

E seria melhor ver, para corrigir a tempo, do que obstinar-se em fechar os olhos, para deixar manter-se em erro que já saiu dos limites toleráveis de duração.

Rio de Janeiro, *Diário de Notícias*, 4 de agosto de 1931

Epílogo...

O sr. Francisco Campos andava, ultimamente, recolhido a um silêncio idêntico ao da Diretoria de Instrução Pública, dando a impressão de que o seu Ministério – tal como aquela repartição – já se declarava tacitamente acéfalo.

A política, no entanto, mais uma vez se encarregou de trazer a público o ministro que, com tamanha infelicidade, enveredou pelo caminho das preocupações interesseiras, em lugar de se ter elevado à altura do cargo que a Revolução criou e que, para qualquer pessoa inteligente, é o mais importante e urgente nos tempos novos do Brasil.

Ora, para maior tristeza de quem se detém a examinar as atitudes humanas, mais uma vez o sr. Francisco Campos vem a público em situação pouco honrosa para um ministro qualquer, e muitíssimo mais grave para o ministro a quem foi entregue a pasta de mais responsabilidade, aquela que só poderia pertencer a alguém que, pelo seu exemplo pessoal, estivesse sempre sendo um motivo de confiança para os que dele dependessem – que são todas as gerações do Brasil.

Não bastou o já célebre caso Gustavo Barroso, com que estreou o sr. Francisco Campos, dando pública prova de uma invenção logo desmentida.

Não bastou o caso J.O. Machado & Cia., firma de que é sócio o sr. Amaro Lanari, secretário das Finanças do general Olegário Maciel.

Era preciso mais este caso complicadíssimo de agora, em que muito estranhamente fica situado quem redigiu um decreto sobre o ensino religioso, só faltando exigir que os meninos e os jovens escrevessem, à margem das suas provas escritas, um J.M.J. ou um A.M.G.D. que lhes garantisse a nota melhorada, em prejuízo de todos os pagãos, ateus e "inimigos" que por acaso se atrevessem a lhes fazer concorrência.

Como, desde o princípio, vem circulando com intensidade que o impulso inicial do ministro foi estabelecer um decreto favorecendo especialmente a Igreja Católica (e tudo leva a crer que assim tenha sido, uma vez que os legionários declararam em Minas existir compromissos da Revolução com o clero), fica-se alarmado com a decadência em que se encontra a religião romana, cujas manifestações mais notáveis, neste momento, são, justamente, o sr. Francisco Campos e o padre Serra.

Felizmente, todo o mundo sabe que a maioria dos brasileiros não é católica, como muita gente desejaria que fosse e afirma baixinho que é... Imaginem se tivéssemos quarenta milhões de compatriotas com a mesma noção de responsabilidade que revelaram o ministro da Educação e o interventor da falecida *Atenas*!...

E isso é tão profundamente desmoralizador para os interessados, e tão profundamente ridículo, ao mesmo tempo, que os próprios católicos, para sua honra, deveriam pleitear a revogação do decreto malfadado, que, além de estimular a desordem, os ódios, as represálias desde a infância até a velhice, vem colocar num tristíssimo destaque a sua seita – que foi aquela que o inspirou, e a que dele mais se tem procurado aproveitar, como está provado pela sua atitude de silêncio, isolado e único, quando todas as vozes se unem pedindo o ensino leigo nas escolas.

O sr. Francisco Campos, que, além do mais, não vacila em figurar como juiz numa Junta de Sanções para proferir sentenças sobre culpas iguais a muitas de que também é réu, deixa o ensino religioso, e o catolicismo, particularmente, numa situação tão deplorável, que se chega a pensar tenha inventado esse decreto especialmente com o propósito de conseguir esse fim.

Mas o fim todos sabem qual era. Sobre isso, nunca houve dúvidas. Foi, aliás, por ter entrado pelo começo, só com a ideia daquele fim, que o sr. Francisco Campos chega hoje ao fim sem ter chegado a passar pelo começo...

Rio de Janeiro, *Diário de Notícias*, 27 de agosto de 1931

Uma lembrança desagradável

A Coligação Pró-Estado Leigo acaba de realizar uma importante sessão solene, em que não só, mais uma vez, definiu a sua atitude de protesto contra a pretendida invasão do catolicismo nos negócios do Estado como apresentou dados notáveis da sua organização e fatos graves que já estão ocorrendo em virtude do aparente apoio do governo à religião romana.

A Coligação Pró-Estado Leigo não é um agrupamento inexpressivo de indivíduos. Ela reúne em si doutrinas religiosas e sociais de todos os matizes que perfazem um total de mil setecentas e duas corporações. Gente de todo o Brasil. Mas gente que não pode ser analfabeta, porque, para ler a Bíblia, para entender os livros de Kardec, para apreciar Augusto Comte ou Annie Besant, ser livre pensador ou materialista, esotérico ou maçom, não basta saber de cor o catecismo e as orações da penitência que salvam a alma do inferno...

Toda essa gente defende o seu direito à liberdade, àquela liberdade que decerto animou este governo a causar tão grande abalo ao país, unicamente para restabelecer na sua integridade, dando ao Brasil o aspecto que lhe compete, neste momento da sua evolução.

Toda essa gente se agita contra um inimigo comum: o sinistro decreto Francisco Campos, que, depois da queda do ministro, é a mais desagradável lembrança da sua passagem pelo Ministério da Educação.

Cessada, porém, a responsabilidade do ex-ministro, há uma pergunta que precisa de resposta: por que o dr. Getúlio Vargas, de cujo espírito liberal ninguém quer duvidar, não realiza, neste instante, um ato que defina toda a sua intuição política e firme seu governo numa certeza de compreensão nacional que o povo pacientemente vem esperando todos os dias?

Disseram que o decreto sinistro visava, a princípio, favorecer declaradamente a igreja romana. Teria sido o dr. Getúlio Vargas que, propondo o ensino facultativo das religiões em geral, teria atenuado os interesses do ministro com a sua reconhecida prudência de ditador. Mas – perguntaram muitos – se, neste governo, os ministros são simples auxiliares da ditadura, por que o dr. Getúlio Vargas não impediu desde logo a calamidade que terá de vir, cortando, – em vez de alterar, apenas, – a pretensão do ministro ambicioso?

E houve quem tivesse interpretado o golpe como uma habilidade política destinada a mostrar ao próprio ministro o seu erro, mediante uma experiência em que, infelizmente, se comprometia toda a vida nacional.

Tudo é possível, nestes tempos incertos. E, quando se tem boa vontade, sempre se adquire uma capacidade de compreensão capaz até de admitir todas essas complicações, embora, intimamente, se desejasse que o Ministério da Educação estivesse isento de todos os jogos de interesse em que sempre se insinua a ambição dos políticos.

Como quer que seja, o dr. Getúlio Vargas nunca deixou de aparecer, em relação ao tenebroso decreto, com aquela sua imparcialidade perturbadora que tantas coisas faz esperar do seu governo. Se era, pois, uma experiência o decreto do ministro, ela já deu o que tinha a dar. E, como experiência, acabou-se.

Agora, o que resta a fazer é inutilizar o decreto. A prova de que ele não tem firmeza é que, apesar daquela célebre "maioria" de católicos, o ministro que o inventou não se pôde manter no cargo...

Se o decreto permanecer, todo o mundo terá o direito de ficar pensando que ele não era do sr. Francisco Campos, que, segundo dizem, sempre foi ateu. Nesse caso, o ministro é que estaria sendo, até aqui, caluniado. E seria fácil chegar a uma conclusão dessas, recordando que na Reforma de Ensino de Minas não foi ele que introduziu o ensino religioso...

Ora, o dr. Getúlio Vargas não deve deixar pesar sobre a sua intenção liberal e a sua responsabilidade de homem de ideias emancipadas toda a sombra de equívocos emanada do decreto infeliz.

A Coligação Pró-Estado Leigo acaba de mostrar o movimento que se prepara em defesa da liberdade. O governo, que é o maior defensor da liberdade, para ser coerente consigo mesmo, e provar ao povo que é o intérprete das suas aspirações, deve anular o decreto que é a mais triste lembrança de tirania que o nome de um ministro revolucionário poderia oferecer ao Brasil, maculando-se e maculando-o.

Rio de Janeiro, *Diário de Notícias*, 9 de setembro de 1931

Outra vez, o Ministério... [V][1]

Para o educador que age com plena noção da sua responsabilidade, não existe neste momento assunto mais importante que o Ministério da Educação. Todas as questões pedagógicas, todas as investigações da psicologia e todos os intuitos filosóficos têm, por força, de se deter em frente da realidade gravíssima que constitui para o Brasil a atual crise desse Ministério.

Um educador responsável – friso assim porque, ultimamente, qualquer professor e qualquer criatura oportunista, que nem professor mesmo seja, deu para adotar com arrogância o título de pedagogo e de educador, até bem pouco tão desconhecido...

Um educador responsável compreende que toda a energia que empregar estudando problemas da sua especialidade é inútil, neste instante, pois não se sabe que rumo o governo pensa dar ao movimento educacional, e não pode ser mais que tempo perdido estar analisando abstratamente questões que não têm na prática nenhum ponto de apoio que as sustente e justifique.

Mas, ainda assim, estão mal os educadores. Porque são, comparados com a totalidade, um pequeno número, que fala uma linguagem difícil de entender pelos que decidem sobre as coisas públicas.

Se, através da obra coletiva de uma reforma como a que entre nós implantou Fernando de Azevedo, a consciência do povo estivesse realmente esclarecida quanto às necessidades e soluções educacionais, assistiríamos ao extraordinário espetáculo de pais e professores, unidos por um interesse único e elevadíssimo, batalhando por entregar o Ministério da Educação à pessoa que mais idoneamente o pudesse dirigir.

Infelizmente, a obra iniciada aqui na passada administração, como a do Espírito Santo, ficou suspensa no momento mais fecundo. O convívio de pais e professores, que agora em São Paulo a inteligência do diretor de Ensino estimula energicamente, não chegou, entre nós, a resultados de utilidade mais

1 As crônicas I, II, III e IV sobre o Ministério da Educação estão em *Crônicas de educação 2*, da mesma coleção. (N. E.)

vasta, que permitissem uma verdadeira e bem orientada cooperação entre a escola e a família.

E é assim que o esforço do pequeno grupo que defende as modernas ideias educacionais a que a evolução do Brasil não pode permanecer alheia tem de assumir um caráter absolutamente heroico, e resolver-se a todos os sacrifícios para, com a sua proporção mínima, conseguir efeitos máximos, e, partindo de um punhado de idealistas, sem temor às consequências nem interesses pessoais na vitória, realizar a imensa conquista que o Brasil inteiro ainda receberá, sem sequer avaliar o que está recebendo.

Para os desprevenidos, parece obstinação falar tanto no Ministério vago. É que esse Ministério é uma terrível interrogação no destino novo desta terra e desta gente.

Se o problema da educação já estivesse na inteligência ou na intuição de todos, haveria razões para surpresa. Mas, quando se fala em educar, muitas criaturas bem-intencionadas – que até às vezes se julgam cultas, e inclusive alguns que até passam por sábias – pensam logo no alfabeto, e em meia dúzia de discursos de propaganda...

Os professores, por sua vez, na maioria dos casos, têm um tremendo horror a debater assuntos que não sejam de utilidade imediata na escola. Gostam de métodos, principalmente, – esquecidos de que não há método nenhum que produza resultados eficientes quando não se tornou familiar a todos os espíritos a intenção preliminar do movimento educacional. E, além disso, qualquer coisa que saia dos limites da escola parece-lhes logo política, coisa que lhes é particularmente odiosa, porque pode produzir, pelo menos, uma complicação na promoção ou alguma transferência para Realengo...

Os pais que ainda não estão preparados para a obra de cooperação que lhes incumbe, mediante o esclarecimento que uma escola bem dirigida pode fornecer, fazem mil conjecturas sobre essas coisas novas da educação, mas – salvo já numerosos casos que por si mesmos se constituíram – não sabem o que fazer nem o que pensar de tudo isso...

E o governo?

Como é que o podemos saber?

O governo criou o Ministério da Educação. Supõe-se, pois, que estivesse, a princípio, admiravelmente informado sobre o assunto, e com uma vontade admirável de acertar. Mas, diz-se que já pensa extingui-lo... E por quê? Será que, depois do sr. Francisco Campos, é melhor desistir de tratar do problema? Isso é que não. Agora, mais do que nunca, precisamos de alguém que se resolva a ser ministro a sério, e a consertar tudo quanto o ex-ministro, voluntária ou involuntariamente, estragou. Sentimos muito que não haja um político em condições de o ser... Mas o governo, desde o princípio, vem dizendo que não quer saber de políticos... E também asseguramos que não há nenhum médico que sirva... Não há remédio, pois, senão procurar o homem adequado. E o homem adequado, para um Ministério da Educação, não pode ser senão, evidentemente, um educador...

Rio de Janeiro, *Diário de Notícias*, 10 de setembro de 1931

Uma esperança para a Instrução Municipal

O afastamento do sr. Adolfo Bergamini da Interventora do Distrito abre uma esperança nova para o problema da Instrução Municipal há quase um ano sepultada no esquecimento que forçosamente havia de sofrer, entregue ao acaso de uma direção arbitrária, das muitas que a Revolução, como todas as revoluções, teve a fatalidade de ocasionar.

Com um ano de Governo Provisório já se pode falar sem hesitação, e perguntar pelo que foi realizado, na presente administração do ensino, que, para cúmulo de seu vexame, encontrou a escola primária aparelhada para um desenvolvimento admirável, com as bases que tinha recebido durante a atuação do dr. Fernando de Azevedo.

A nossa Reforma de Ensino, que marca um ponto de referência inesquecível na história da formação nacional, ficou, durante este período, sustentada apenas pela sua força intrínseca, nutrida pelo valor do seu próprio conteúdo, resistindo a quaisquer agravos que deliberadamente lhe quisessem fazer, – mas, infelizmente, sem poder fazer mais do que resistir, sem poder produzir na razão da sua natural energia, e sem se ampliar nas iniciativas que são uma decorrência natural da sua estrutura.

Faltou-nos apenas esta pequenina coisa imensa: que a Revolução, tão cheia de excelentes propósitos, tivesse a serenidade de encontrar o homem que podia enfrentar o problema do ensino no Distrito Federal, como, aliás, o fez relativamente a São Paulo, onde o professor Lourenço Filho tem sido um diretor de Ensino compenetrado da sua responsabilidade, atendendo a seu cargo com vivo e sério empenho.

Depois da longa e dolorosa experiência que realizamos com esta administração, seria um acontecimento verdadeiramente terrível repetir a imprudência, cujos efeitos agora já não se podem mais calcular.

Por isso, a parte mais importante do programa do novo interventor é, justamente, a escolha da pessoa a quem vai ser confiada a Diretoria de Instrução, com a sua Subdiretoria Técnica.

De uma vez para sempre é necessário acabar com a superstição de que um político ou um doutor, pelo simples fato de ser uma dessas duas coisas, também pode entender do problema educacional, é um erro gravíssimo que não se pode perdoar mais. Pode ser que ainda se suportasse semelhante coisa no tempo em que se acreditava também que o alfabeto era a chave para o enigma da civilização... Mas esse tempo já passou...

Não há ninguém que deseje mais do que nós prestar homenagem a uma personalidade que venha concorrer para a solução do problema educacional, a que a Revolução não pode deixar de atender. Mas é necessário que essa personalidade apareça. Porque só ali onde o mérito se encontra é que há também razão para as homenagens desinteresseiras.

Diante dessa coisa urgente, grave, verdadeiramente vital para o Brasil, é impossível que o novo interventor não tome as precauções necessárias que irão definitivamente caracterizar, desde o início, a sua capacidade de administrador.

Oxalá venha ele com uma inspiração feliz, e saiba distinguir os elementos de valor, entre os inúmeros oportunistas que, necessariamente, o irão abordar. Para que não aconteça, como na interventoria do sr. Bergamini, que se repitam os assaltos ao posto mais importante da República – que ainda uma vez repetimos ser o dos negócios de educação – e haja sobre o nosso povo uma esperança de justiça, de solidariedade, de trabalho eficiente, de paz e de prosperidade, que não pode existir sem uma nova ordem de coisas estabelecida por uma grande visão educacional, substituindo a velha, mesquinha e sórdida visão da baixa política.

Rio de Janeiro, *Diário de Notícias*, 23 de setembro de 1931

Pela educação

Se a política desejasse basear-se na educação, e agir mediante normas educativas para administrar e dirigir o Brasil, política e educação seriam duas palavras dignas de andar estreitamente unidas. Nem é outra a ambição de alguns espíritos que nada querem para si senão a alegria de terem podido sentir essa ambição, no próprio momento em que a totalidade andava sustentando ideias tão contrárias...

Mas, se a política hostil; a política difícil de banir pela própria Revolução; a política dos interesses imediatos; dos amigos a servir e dos parentes a colocar; a política da mediocridade subserviente, que se acumula nos gabinetes e fala maviosamente aos chefes; procurasse insinuar-se na obra de educação que está sendo, neste momento, no Distrito Federal, a mais admirável esperança de sinceridade, de entusiasmo e de compreensão – toda essa enorme esperança ficaria comprometida, porque a política dessa natureza, mesmo quando não corrompe, macula; mesmo quando não triunfa, prejudica e retarda.

Temos assistido a tantas mutilações de grandes obras pela manha dos cabotinos e dos interesseiros, temos visto tanta heroica e maravilhosa inquietude debater-se em meia dúzia de mãos ignóbeis, hábeis apenas em tecer tramas e armar ardis que nos assusta qualquer possibilidade, por mais invisível que seja, de um atentado desses ao movimento educacional que ora se inicia sob as melhores luzes de confiança, depois de uma luta ardente, em que a vitória foi uma conquista do espírito, da justiça, da honradez e da verdade.

Em redor de cada fato adensam-se sempre inúmeras pequenas exigências, mascaradas com a mais fina argúcia, veladas com mil precauções, vestidas de todas as formas, envoltas em todos os nomes.

Quem conhece a alma dos homens não é suscetível de surpresas. Mas as surpresas extremas abalam sempre o coração dos que ainda querem acreditar no próprio pudor do pensamento.

E não deixaria de ser espantoso ver-se, em torno da própria educação, a efervescência da mediocridade, do egoísmo, da vaidade, do espírito de aventura desonrosa, da pretensão e da astúcia.

Vale-nos a certeza inabalável de um núcleo de tal maneira coeso, na defesa do nosso máximo problema que, com o seu consentimento consciente, nada pode vir a perturbar sua integridade, seu pensamento leal e sua deliberação de atividade justa.

Mas, como os mais fortes têm os seus momentos de inocente serenidade que a traição aproveita e que a perversidade violenta, esses fortes precisam acautelar sua própria confiança e sua natural boa-fé. Porque o bem precisa ser vigilante, para não abdicar da sua própria condição, e dos seus resultados.

Rio de Janeiro, *Diário de Notícias*, 14 de novembro de 1931

Esperança

Acaba de deixar a direção de Ensino de São Paulo o professor Lourenço Filho.

Quando a Revolução prometeu novos e mais belos tempos para o Brasil, a nomeação desse diretor de Ensino foi a mais admirável inspiração de um governo que se iniciava e a maior esperança de todos que se interessavam pela educação, como fator fundamental na formação da humanidade.

Conhecendo perfeitamente o assunto, com uma cultura que o honra e uma capacidade de trabalho já provada, o professor Lourenço Filho ficou sendo, no primeiro período do atual governo, a expressão mais segura de uma realidade educacional que a própria Revolução, paradoxalmente, fizera fracassar, interrompendo a obra formidável de Fernando de Azevedo e o considerável esforço traduzido pela reforma capixaba.

Em pleno caos, o professor Lourenço Filho trabalhava. Uma justa coerência de ação. Um programa a executar. Uma atenção permanente em cada detalhe. Uma obstinação de encaminhar tudo pelos seus devidos meios, até o fim. Um fim grandioso como esse a que os educadores dedicaram sua vida e que só é mais belo por ser maior que a própria vida.

Um dia, desgraçadamente, o capricho dos que intervêm mesmo nas coisas de que não entendem pôs diante de Lourenço Filho um grave problema a decidir: a regulamentação do decreto sobre o ensino religioso, que todas as religiões combatem, exceto o catolicismo, a única que dele se deseja aproveitar.

Nunca Lourenço Filho esteve, e talvez nunca mais em toda a sua vida venha a estar, dentro de um momento tão augusto para deliberar sobre o seu próprio destino.

Não sei qual é a sua religião. Mas sei que o seu espírito se impregnou das verdades humanas, que são as atuais verdades da educação. Por isso mesmo, ainda quando tivesse compromissos com o catolicismo, para honra igual do educador e do católico, não devia transigir numa coisa em que os educadores só podem pensar de uma única maneira: neutralidade escolar.

Esta mesma pessoa que lhe está dizendo estas coisas disse-as, então, no momento em que o sentiu entre as duas contingências de vacilar ou de resistir.

Sabendo que no Brasil só existia, à frente da educação, um único homem, naquele momento, e que esse homem era, precisamente, Lourenço Filho, esta mesma pessoa preferiu a hipótese de ver o Brasil inteiramente desprovido de chefes de educação a ver um verdadeiro chefe sucumbir sob circunstâncias ocasionais. Antes o heroísmo de perder tudo, para recomeçar mais adiante, com todas as forças aproveitadas, que transigir para salvar metade, sabendo que essa porção que se salva teve de ficar mutilada para conseguir salvação.

O professor Lourenço Filho podia ter tomado a atitude heroica de renunciar. De não comprometer sua responsabilidade de educador admirado no Brasil inteiro, e em que o Brasil, que vê e sabe, acreditou e confiou.

Não foi possível. Por quê? O professor Lourenço Filho saberá que deixou consternados todos os seus amigos: os amigos do seu espírito, os amigos do seu destino, os únicos amigos que são amigos até o fim. Saberá que, pela força ainda de serem seus amigos, eles assistiram a essa queda sem nenhuma palavra mais, para não aumentar a sua angústia. Porque foi demasiado grande a culpa de Lourenço Filho: não viu que, – quaisquer que fossem os raciocínios com que justificasse a sua vacilação – não viu que estava sendo desleal, mais que para com os seus amigos, para com as crianças, para com a infância, que não têm defesa senão a defesa que lhe possam dar os educadores? Não compreendeu que estava ali, não para ser o diretor de Ensino, apenas, mas para dirigir um momento da vida brasileira, reconduzindo-a à realidade do mundo e da vida?

Malgrado o definitivo desacerto, o professor Lourenço Filho continuou a desenvolver sua atividade com interesse e fervor. Poder-se-ia, porém, crer na eficiência da obra que perdera sua razão de ser essencial: o sentido vivo da vida?

Talvez ele mesmo o tivesse compreendido. De qualquer modo, sua renúncia agora faz pensar com saudade na renúncia que não pediu no momento exato, antes de vacilar, antes de transigir. E deixa uma grande esperança. Deixa a esperança da livre reflexão sobre a experiência do erro. O sentimento da ação adequada. E a compreensão das atitudes novas, das atitudes emancipadas de jugos e de conveniências, – porque, não tendo a salvar agora a oportunidade de uma obra, mas a sua própria oportunidade de educador, o professor Lourenço Filho saberá voltar ao convívio dos amigos que não o deixaram de admirar, mesmo depois de terem sofrido, e que contam com a sua prova definitiva de sinceridade, optando pelo gesto de servir com pureza à criança, única maneira de servir a tudo que está além de nós, desde a pátria até Deus.

Rio de Janeiro, *Diário de Notícias*, 26 de novembro de 1931

O Ministério da Educação [VI]

A atitude do dr. Belisário Pena, deixando o Ministério da Educação, que há tanto tempo vinha dirigindo interinamente, é uma prova de sensatez que não pode ficar sem registro.

Evidentemente, a Revolução pensou nos interesses educacionais, quando criou um Ministério especial para a eles atender. Teria acertado, desde o princípio, se pensasse, ao mesmo tempo, que esse cargo era o mais importante de todos, e só podia ser ocupado por alguém que fosse a expressão mais pura da nossa nacionalidade, alguém que já tivesse provado suas qualidades indispensáveis em algum momento alto e difícil, capaz de o responsabilizar em tão elevada função.

Desgraçadamente, estava-se ainda tão perto da agitação revolucionária, que as confusões se fizeram por si. E o Ministério da Educação ficou sem a direção que devia ter, a direção exigida pela gravidade do início de uma vida nacional resgatada pelo entusiasmo de todo um povo que acreditou chegado o instante da sua feliz redenção.

Todos viram o que foi a sua primeira fase. Os erros imperdoáveis que a caracterizaram fizeram-se mais imperdoáveis por surgirem nesse Ministério. Os erros de outros perturbam mais ou menos a vida nacional: os desse comprometem-na definitivamente. Atentam contra a formação do povo, contra a sua própria expressão futura. Corrompem a evolução que o Ministério devia precisamente estimular.

E, quando, em certo dia feliz, o ministro nomeado optou irrevogavelmente pela política, que vinha exercendo, e que é a sua verdadeira e declarada vocação, – toda a curiosidade pública se voltou de novo para esse Ministério, e para o governo que o tinha novamente de preencher.

Essa curiosidade torna-se, dia a dia, mais nítida, mais segura de seus poderes. O povo já vai conhecendo o significado autêntico da educação moderna. E está se preparando para o momento em que for preciso defendê-lo com o heroísmo de quem defende conscientemente a própria vida.

Por isso, não foi sem espanto que assistiu à passagem das responsabilidades do Ministério, embora interinamente, para as mãos do dr. Belisário Pena, que com muito acerto, na opinião geral, se encontrava à frente da Saúde Pública.

Temos ainda o preconceito da onisciência. A prática há de acabar corrigindo-o, embora à custa de rudes provas. Foi o que pensamos, então. Vimos a dolorosa contingência em que se encontrava o distinto higienista, ameaçado de ficar até sem o prestígio com que se encontrava à frente dos serviços da sua especialidade.

Seria possível que o governo também não o tivesse visto? Seria possível que o próprio dr. Belisário Pena, com tanta experiência da vida e tanta competência em assuntos sanitários, não compreendesse que aquele lugar era uma verdadeira traição para a sua vida pública?

Há momentos de cegueira e de ilusão de óptica.

Não é ponto de vista sem fundamento, não. Os fatos estão aí, vivos, diante de todos os olhos. Como têm sido resolvidos todos os casos dos estudantes? Como ficou resolvido esse escandaloso caso recentemente revelado do Instituto de Surdos-Mudos? E os outros?...

A renúncia do dr. Belisário Pena foi o seu gesto mais feliz, dentro da interinidade de ministro da Educação.

Mas diga-se de passagem que, por não ter feito nada, por se ter deixado estar justamente como quem compreende que é apenas interino, sem intervir nos momentos em que a sua ação era mais solicitada, – ainda, e apesar de tudo, está longe de se comparar, em nocividade, ao seu antecessor, fecundo em erros inesquecíveis, e suficientes para comprometerem os intuitos revolucionários, principalmente no que se refere à criação daquele Ministério.

Foi mais uma experiência que se fez, na procura do ministro de que precisamos. E a dificuldade do acerto está no seguinte: esse Ministério é um posto técnico. Não viram como foi o caso da Diretoria de Instrução? Tudo andava, desde a Revolução, num verdadeiro caos, vieram as pessoas adequadas, estabeleceu-se o ritmo e tudo começou a andar pelos devidos caminhos.

Por que não se faz o mesmo no Ministério? A experimentação de políticos em matéria técnica é pura perda de tempo, e acúmulo de desilusões que podem ser fatais para o próprio governo. É preciso ficar bem patente que estamos na República Nova. Que os cargos são para os que os podem exercer, não para transações políticas...

Há que escolher um educador. Não seria a vez do dr. Fernando de Azevedo, diretamente ligado à educação brasileira, isento de compromissos políticos, e sem necessidade de transformar o cargo em utilidade imediata, por não ser nenhum "sem emprego" da República antiga, entusiasta de última hora pelos ideais revolucionários?

Rio de Janeiro, *Diário de Notícias*, 29 de novembro de 1931

O Ministério da Educação [VII]

A sugestão do nome do dr. Fernando de Azevedo para o cargo de ministro da Educação tem fundamentos respeitáveis, que o governo revolucionário não pode deixar de reconhecer.

A Revolução veio declarando de muito longe que lhe interessava sanear o ambiente político, principiando por excluir do seu programa os políticos do governo anterior, cúmplices na desorganização nacional que os revolucionários vieram corrigir.

A Revolução queria revolucionários, inovadores, gente disposta a trabalhar, com desinteresse, com sinceridade, construtivamente, para tempos novos, de acordo com as novas ideologias.

A Revolução, desde o prólogo, vem afirmando, com uma energia admirável, – que é a sua força e o seu direito a todo o respeito possível, – que baniu todos os processos antigos de governar, quando se favoreciam os amigos e os parentes com os vários postos de evidência e responsabilidade, indiferentemente, sem atender aos resultados dos erros consequentes a tanta imprevidência.

Se há uma obra, no Brasil, que possa provar o seu "espírito revolucionário", essa é a reforma educacional traduzida pela realização do dr. Fernando de Azevedo, quando diretor de Instrução Pública no Distrito Federal.

Teria o governo revolucionário visto como deve ser vista essa iniciativa formidável de transformação brasileira, mediante a ação educacional, esclarecida e fecunda, exercida não repentinamente, numa impossível conversão fictícia, mas preparando os destinos humanos com a perseverança das grandes obras criadoras, silenciosas, profundas, invisíveis?

Teria visto, principalmente, em toda a sua extensão, a estrutura da obra do dr. Fernando de Azevedo, e o seu sentido – que é a mais pura síntese de qualquer tentativa de renovação, e que precedeu o movimento de outubro, como se, na verdade, um fosse a repercussão ou a previsão do outro?

Teria visto que o dr. Fernando de Azevedo foi o mais combatido dos administradores do último governo? Que a sua obra foi mal compreendida, aceita com dificuldade pelos apaixonados das rotinas e os interessados pelas ideias fixas e vazias que vêm corrompendo toda a orientação indispensável ao país?

Tudo isso são coisas dignas de atenção quando há um Ministério especialmente criado para atender as questões educacionais.

Impedido de fazer transações políticas com qualquer cargo, porque isso seria trair o seu próprio sentido, e muito menos um cargo técnico, onde a inabilidade e a falta de conhecimento patenteiam logo a incapacidade dos que dele se apoderam, – o governo revolucionário tem de ser coerente consigo, nomeando para ministro da Educação uma pessoa capaz de o ser.

Não existe ninguém com melhores aptidões, para isso, que o dr. Fernando de Azevedo, ex-diretor de Instrução, autor de uma reforma notabilíssima, combatido no velho regime pela novidade das suas ideias, com uma capacidade de ação posta à prova brilhantemente, e sem nada que o desabone junto aos interesses da Nova República e dos seus construtores.

Além disso, o dr. Fernando de Azevedo possui essa qualidade rara de ver as coisas com um largo golpe de vista; é alguém que pode enfrentar o problema da educação nacional de maneira definitiva, resolvendo-o de alto a baixo, sem vacilações nem dificuldades. A reforma que traçou para o Distrito Federal é, nesse sentido, já uma prova preliminar da visão com que poderia atender ao problema geral, e o acerto da sua primeira iniciativa é uma antecipada certeza do êxito da sua ação à frente daquele Ministério.

Rio de Janeiro, *Diário de Notícias*, 1º de dezembro de 1931

Aquela aposta

— E aquela aposta?

Perguntaram-me isto ontem assim sem mais nem menos.

– Ah! Aquela aposta...

Pois vou contar.

É verdade que não sei se, com o governo discricionário, é permitido sonhar com algum ministro. Sonhar dormindo, já se vê... Porque a história da aposta, há vários dias, está intimamente ligada a um sonho. O sonho que vou contar.

Era numa hora indecisa, sem ser noite nem dia, como esse tempo que costuma fazer nos sonhos, e, às vezes, na realidade também.

A escadaria do antigo Conselho Municipal estava repleta de gente, gente nervosa, que se comunicava ansiosamente, gesticulando e trocando palavras misteriosas, como na iminência de um grande acontecimento.

De súbito, uma figura com trajos de legionário romano desce de um veículo estranho, misto de automóvel oficial e expresso mineiro.

A multidão aquieta-se; faz-se um claro pelo meio da escada, e o recém-vindo sobe, degrau por degrau, com uma rara elegância de atitude, embora também debaixo de um certo constrangimento.

Esqueci-me de dizer que o legionário romano traz, na destra, uma espécie de tridente de Netuno e, na sinistra, talvez por ser sinistra, um rolo de papel, que é precisamente o detalhe mais impressionante do sonho todo.

A multidão deixa-o passar silenciosa, e a atmosfera começa a ficar pesada, pesada, como se o céu viesse caindo por cima da terra, lentamente. No alto da escada, o legionário para, volta-se para a multidão, encosta ao ombro o cabo do tridente, percorre com os olhos toda aquela gente ali reunida, desenrola o papel...

... e lê, com voz límpida:

– Como é para bem do povo e felicidade geral da nação, declaro que me retiro.

A multidão suspira toda ao mesmo tempo. O nervosismo passa logo. Nos semblantes carregados esboça-se um claro sorriso de satisfação. Dilatam-se os peitos, como depois de uma grande angústia.

O legionário não tem mais nada a dizer. E nenhuma resposta se anima a quebrar aquele silêncio que diz imensamente mais que as palavras comuns.

O legionário vem descendo a escadaria, até chegar perto do veículo que o espera, com a sua forma de auto oficial e expresso mineiro ao mesmo tempo.

Foi nesse momento que o Marechal de Ferro deu uma voltinha com a espada, levantou-se na ponta dos pés, e clamou:

– Viva a Revolução!

A moça que está dentro da bandeira sorriu timidamente, e deixou cair das mãos aquela flor que há tanto tempo estava segurando.

E, como a voz do Marechal de Ferro não é assim uma vozinha qualquer de tenor nem de barítono, o obelisco lá longe levantou-se no ar, quando ela passou. E ia cair no chão; mas o sonho caiu primeiro, e o resto não se pôde ver.

Rio de Janeiro, *Diário de Notícias*, 9 de dezembro de 1931

Sustentando a aposta

Parece até que nem foi sonho. Ou foi mesmo sonho perfeito... Porque os sonhos, afinal de contas, têm essa vantagem de, um belo dia, passarem a ser realidade. E que realidades!

Pois eu não andei sonhando aquelas coisas com o auto-oficial-expresso--mineiro, o Marechal de Ferro dando vivas à Revolução, a moça da bandeira deixando cair a rosa, e o obelisco querendo voar de contentamento...?

Foi tudo sonho, mesmo. Tanto foi sonho que o DOP não disse nada... E agora abro o jornal, e começo por encontrar este notável título: "O incidente Adalberto Correia-Francisco Campos". Título sugestivo. E absolutamente inesperado...

Vou lendo:

> Acerca do incidente ocorrido entre o ministro da Educação, dr. Francisco Campos, e o dr. Adalberto Correia, e sobre a formação de um Tribunal de Honra, composto dos ministros da Guerra, Marinha e Viação, para dirimi-lo, ouvimos ontem o dr. José Américo, que nos prestou os seguintes esclarecimentos:
> – Não se trata de nenhum tribunal. Apenas estivemos reunidos para decidir esse incidente, que, por sua natureza, não depende de julgamento de honra.
> – É um caso para ser resolvido pelo próprio ministro da Educação, que, no seu foro íntimo, saberá decidir da situação em que se encontra, independentemente de qualquer outro juízo que não teria força para modificar essa consciência de suas responsabilidades.
> – Fica, portanto, esclarecido que nem julgamos o incidente à altura de um julgamento de honra, nem nos revestimos de poderes para ajuizar de um fato consumado, que, por isso mesmo, escapa a um veredictum dessa natureza.

O leitor está vendo tudo isso?

Um incidente. Probabilidades de um Tribunal de Honra... Que seria? Depois, o tribunal julgado desnecessário... O caso entregue à consciência do ministro da Educação. Coisa muito perigosa. "É um caso para ser resolvido pelo próprio ministro da Educação, que, no seu foro íntimo, saberá decidir da situação em que se encontra..."

Ah! sonho, sonho...

Querem ver que tudo isso foi ali mesmo à porta do antigo Conselho, e que o Marechal de Ferro falou mesmo, e o obelisco saltou?

Mas não haverá que apelar para a consciência do Tribunal de Honra.

Agora, o caso fica entregue ao tribunal de honra da consciência do ex--atual ministro da Educação, o místico autor do decreto sobre o ensino religioso, que, desta vez, vai provar à saciedade, diante do Brasil inteiro e do mundo, qual é o seu conceito sobre honra e a noção da sua responsabilidade de duas vezes ministro da Educação contra a vontade e a expectativa geral.

É como nos teatros, depois que soam as campainhas.

Vamos todos ficar bem quietos, olhando. A cena é empolgante.

E é tão grande a minha candura em acreditar na inteligência e na seriedade das pessoas, até daquelas que têm dado provas contra si mesmas, que ainda tenho esperanças de, no fim do espetáculo, acabar mesmo ganhando a aposta...

Rio de Janeiro, *Diário de Notícias*, 11 de dezembro de 1931

O ensino religioso

O cidadão interventor coronel Manuel Rabelo, além do gesto notável de oficializar a mendicância, com o que ficamos todos extremamente sensibilizados, teve também o bom senso de deitar abaixo o decreto sobre o ensino religioso, essa derradeira manifestação das ideias anacrônicas do mundo, conforme se depreende da modesta e sincera declaração feita, pelo seu próprio autor, a um nosso colega de imprensa.

São Paulo, que, no início da administração do professor Lourenço Filho, tinha conquistado o primeiro lugar no movimento educacional do país todo, ficou, depois, vacilando entre situações lamentavelmente perigosas.

Veio o cidadão coronel interventor e as esperanças logo se acenderam. Nós temos andado realmente, aqui pelo Brasil, num tal estado de aflição, fizemos do nosso passado uma série tão grande de experiências, e em alguns corações se concentrou uma ansiedade tão profunda e tão pura de realizar dias maravilhosos acima de todas as fatalidades em que os homens vulgares miseramente creem, e a que miseramente se submetem, que o primeiro indício de uma hora mais bela deixa-nos a alma num alvoroço delicioso de esperanças.

Foi o que sucedeu com a mudança do governo paulista.

Sucedeu ainda mais. Foi substituir o professor Lourenço Filho, que, apesar de tudo, tanto elevou a situação do ensino estadual, durante a sua direção, e que até hoje ninguém compreende por que não soube ser intransigente consigo mesmo, no instante de decidir sobre o decreto infernal, – foi substituí-lo o professor Sud Mennucci, que pertence a uma outra corrente, e cujas ideias, embora não muito claras, nem por isso deixam de ser vivas, atraentes, cheias de sugestões diversas e de inquietudes oportunas.

O professor Sud Mennucci atingiu o máximo do interesse quando, por ocasião da sua instalação, a Legião Revolucionária, de que foi personagem notável, declarou que a educação era uma das partes mais importantes do seu programa e não podia ser subordinada a pretensões e transações sectaristas.

Dizer que a educação é coisa importante e não pode estar sujeita a essas pretensões e transações não é, afinal de contas, nenhuma coisa do outro mundo. Mas dizê-lo com responsabilidade, no momento da instalação de um congresso que se faz representante dos ideais revolucionários é já um acontecimento inesquecível, que marca no futuro o dia inevitável do seu cumprimento certo e incondicional.

Uma vez à frente do ensino paulista, o professor Sud Mennucci encontrou essa inesperada facilidade: um interventor que com a fidelidade de um espelho fez aparecer do outro lado aquilo mesmo que não pode deixar de ser o pensamento do atual diretor de ensino.

É uma dessas coisas maravilhosas caídas do céu para êxtase dos olhos humanos e esperança de uma incrível felicidade.

Mas, se agora sucedesse – é uma suspeita que me preocupa – manter-se o ensino católico em São Paulo, contra a opinião já explícita do cidadão coronel interventor e os compromissos do professor Sud Mennucci, – que conclusão é que se poderia tirar de tudo isso?

Rio de Janeiro, *Diário de Notícias*, 12 de dezembro de 1931

Ensino católico

O decreto *facultando o ensino religioso*, desde que o inventaram e atribuíram ao sr. Francisco Campos (pois eu ando ficando convencida de que ele não é o seu autor), produziu uma singular situação. Todos os adeptos de todas as religiões protestaram e pediram, solicitaram, rogaram a sua revogação. Mas os da seita católica mandaram ao governo telegramas de parabéns. Como se *facultar o ensino religioso fosse tornar obrigatório o ensino católico*...

Vamos e venhamos: há interpretações e interpretações. Nas coisas que se dizem, podem ir muitos sentidos, que a inteligência de cada um pode surpreender como puder ou quiser. Há mesmo coisas que se dizem especialmente para serem entendidas de outra maneira. É como os poetas fazem. Mas em matéria de decretos é necessário haver uma significação explícita, senão a vida se torna uma confusão sem nome, e ninguém mais tem o direito nem o dever de entender nem de ser entendido.

Já o próprio governo não poderia negar que os seus intuitos com o decreto famoso eram homenagear o clero que participou da Batalha de Itararé. Viu-se logo. Pelos telegramas efusivos. Pelos discursos dominicais nas tribunas das igrejas. Pelo serviço das sacristias. Pela propaganda das beatas. Pelas comunhões estimuladas em certos distritos escolares. Pelas ligas católicas, – enquanto não se sabe se os padres virão a mandar ou não... (É bom a gente se garantir...). Etc.

Tudo isso aplaudiu o decreto. Mas só isso. Os outros, religiosos com Deus ou sem Deus, e até mesmo irreligiosos, reuniram-se todos num grupo, como acontece nos casos de perigo – chama-se agora "frente única" e ficaram dizendo de todas as maneiras possíveis essas verdades ruins de ouvir que, por mais verdades que sejam, a Igreja Católica não perdoará jamais...

O sr. Getúlio Vargas estava, como se disse, fazendo a sua "experiência"...

E há cada experiência neste mundo!

O tempo foi passando. O sr. Francisco Campos. O sr. Belisário Pena. O cidadão coronel interventor Manuel Rabelo. O bispo Francisco Campos (aquele que eu não sei se é o ministro ou não...). Esses nomes são sinais inesquecíveis no tempo que passa, – tão depressa ou tão devagar conforme se esteja esperando ou não...

E agora? Agora...

> Nos próximos dias 5, 6 e 7 do corrente, reúne-se nesta capital, o Primeiro Congresso Estadual Pró-Estado Leigo. O congresso estudará as teses mais importantes, referentes ao laicismo, e propugnará para a abolição do decreto que faculta o ensino religioso nas escolas públicas do país.

Pedacinho de papel amarelo que talvez o leitor conheça: comunicado da Agência Brasileira.

Mas onde, o congresso? No alto vem assim: *Porto Alegre*. *Porto Alegre*. Rio Grande do Sul. Terra do sr. Getúlio Vargas. Gente dos pampas. Independência. Coragem. Altivez. Liberdade. Liberdade... A mais sonhada palavra deste tempo. A única com que se podia fazer a felicidade... E que é tão difícil de conquistar. Mas que se conquista. Pois o leitor não acha que se conquista mesmo?

Embora o telegrama não o diga, este congresso será presidido por um notável representante do pensamento político do Rio Grande do Sul. Do mesmo grupinho do sr. Getúlio Vargas. E isso é que é o mais interessante.

Com quem é, então, que está o espírito revolucionário? Com os que fazem ou com os que desmancham os decretos? Com ambos? Ou em nenhum?

Eu, por mim, que sou otimista, creio que em ambos. Vivo conciliando os contrários. Criando a unidade do mundo. Como os filósofos...

Só não gosto é do decreto. Do decreto não gosto, não. Nem um bocadinho.

E, não sei por quê, ando cismada que o próprio chefe do governo não gosta dele. Não é possível que goste. Porque, se gosta, como vai ser com o congresso de Porto Alegre?

Pensar que era tão fácil resolver tudo! Bastava que os católicos, com aquela divina humildade que o doce Nazareno lhes ensinou, se resolvessem a não fazer mais concorrência aos outros credos, principalmente porque já dizem com tanta convicção que dominam quase a totalidade do... É preciso deixar alguma coisa para os outros!...

Rio de Janeiro, *Diário de Notícias*, 3 de janeiro de 1932

A Revolução e a criança

O ministro Marcelino Domingo acaba de conceder uma entrevista ao *Diário de Notícias* em que se encontram sugestões admiráveis para os que, como nós, brasileiros, recém-vindos de uma revolução, procuram ainda orientação para a vida nova que reclamam e devem ter.

Definindo a democracia, o ministro chama a atenção para o seu problema fundamental, que, segundo diz, "é o da capacidade da democracia para governar-se".

E continua:

> Esta capacidade evidencia-se plenamente quando a democracia cumpre estes fins: primeiro, elevar pela cultura o nível médio do homem; segundo, selecionar as aptidões e os espíritos constituindo a aristocracia do saber e, com ela e por ela, a aristocracia que possibilite o acesso dos melhores ao poder.

Sintetizando todo o seu pensamento, Marcelino Domingo conclui: "Quero dizer, o principal dever de uma democracia é a educação".

Essas palavras precisavam ser escritas em bandeiras e cartazes, para que em todos os pontos da terra em que se crê em democracias, ou que se supõe estar vivendo sob o seu regime, todos ficassem atentos ao compromisso dessa realidade.

O ministro Marcelino Domingo afirma que a República Espanhola já resolveu em parte esse grave problema, e acabará por lhe dar uma solução total. Ora, a Espanha pode, realmente, fazer uma promessa dessas. E vejamos por quê.

É ainda o ministro que fala:

> É-me grato dizer que a República, em matéria de ensino, converteu em leis as ilusões da Revolução. Abriram-se sete mil escolas, mas espero que em 1932, de acordo com as verbas do orçamento, sejam abertas ainda sete mil escolas mais. Foram criadas "missões pedagógicas" que

> levaram ao ambiente rural todos os progressos da cidade, livros, cinemas, obras de arte, teatro, rádio etc.
> Empregou-se uma considerável soma na seleção de alunos que passaram assim da escola primária para os institutos e destes para as universidades, sustentados economicamente pelo Estado.
> Aumentou-se o número de institutos, mas com esse aumento não se procurou desenvolver a quantidade, se não que, considerando a obra de cultura geral que os institutos têm de realizar, cuida-se de que, ao serem abertos, possuam todo o aparelhamento necessário à sua finalidade. Onde o instituto não é possível e indispensável se torna o ensino mais elevado, cria-se o colégio de ensino secundário, também mantido pelo Estado. Onde é necessário o internato, adota-se o seu regime. E, para que se gradue a relação entre o ensino primário e o secundário, já funcionam anexos a alguns institutos colégios preparatórios de curso secundário organizados de acordo com um decreto do governo da República. Deu-se à carreira do magistério a categoria universitária. Foram criadas: Escolas de Estudos Árabes em Granada e Madri, Centro de Estudos Hispano-Americanos em Sevilha e está proposta a criação de faculdades de Economia.
> O importante está em haver sido dada unidade articulada e hierarquia à educação nacional.

"Abriram-se sete mil escolas, mas espero que em 1932, de acordo com as verbas do orçamento, sejam abertas ainda sete mil escolas mais."

Isso se fez na Espanha. Num ano. E isso se vai repetir, este ano ainda.

Nós também tivemos uma revolução. Uma revolução para fazer o Brasil melhor. Uma revolução para corrigir os erros do passado, da única maneira possível: evitando-os no futuro.

O futuro está na infância. É uma verdade dita já tantas vezes, que não faz mais sucesso. Perdeu-se na vulgaridade do lugar-comum. Mas é a única verdade verdadeira.

A infância será o que a educação a fizer.

E a educação está de tal modo ligada à escola que não se pode pensar sem tristeza nos nossos duzentos e poucos prédios, aqui, na capital da República, dos quais mais da metade são de aluguel, e, esses, como os próprios municipais, na sua quase totalidade, condenados pela pedagogia. Quer dizer, não temos, nem em quantidade nem em qualidade, condições materiais, de simples instalação, para oferecermos à criança possibilidades, ao menos, de se poder educar...

A Revolução terá pensado nisso?

Parece que sim. A atual Diretoria de Instrução tem-se interessado, vivamente, pela questão do fundo escolar, de que depende a própria vida da criança carioca, que as escolas existentes comprometem de todos os modos.

O decreto sobre o fundo escolar seria uma honra para a administração do dr. Pedro Ernesto, que entre os seus atos mais notáveis realizou esse, importantíssimo e difícil de, resistindo a todas as atrapalhações da velha política, entregar a direção do ensino à única pessoa que a poderia assumir com responsabilidade, inteligência e honradez, naquele instante.

Essa inflexibilidade do interventor do Distrito Federal, em tão grave momento, deixa a esperança de que a sua compreensão do dever dos revolucionários para com a criança brasileira exige que o Estado lhe ofereça condições de se educar.

"O principal dever de uma democracia é educar" – disse Marcelino Domingo.

A nossa Revolução tem de ser, pelo menos, democrática.

A Espanha, para começar, abriu sete mil escolas. SETE MIL. Num ano. Vai abrir outras tantas. Para começar...

E nós?

O dr. Pedro Ernesto não deve deixar passar a oportunidade para um ato que, sendo o seu simples dever de cidadão, é, não obstante, de glória inesquecível para o revolucionário, e para a revolução a que serve, e de que tantos, com razão ou sem ela, ainda descreem, ou em que já não creem mais.

Rio de Janeiro, *Diário de Notícias*, 26 de janeiro de 1932

Leigo e religioso

Quando as criaturas de má vontade se põem a querer inventar equívocos em torno da denominação "leiga" que a escola moderna reclama para si, chega-se a ficar em dúvida sobre o seu grau de compreensão das coisas, porque não há nada que disponha tanto para a má vontade como justamente a ignorância ou o conhecimento parcial, voluntário ou involuntário.

A questão tem sido debatidíssima. Vêm os educadores desinteresseiros, expõem os motivos da neutralidade política e religiosa da escola, oferecendo-lhe toda a sincera contribuição informativa, mas sem partido, das situações existentes, como é razoável quando se prepara alguém para viver no meio dessas situações. E dizem: a escola deve ser leiga.

Todo o mundo concorda: menos os católicos. E começam a levantar a suspeita (já tão conhecida que até dá má impressão dos recursos da sua inteligência) de que a Escola Leiga é uma coisa monstruosa; que é uma escola sem moral, sem Deus, sem Cristo; que é a perversão da infância e a desgraça da sociedade; o desmoronamento nacional e a condenação da humanidade para todo o sempre.

Mas parece que há outras religiões, além do catolicismo. No entanto, essas não acham nada disso. Logo, de princípio, há que admitir que o conceito de escola leiga não é antirreligioso senão para os católicos. A própria moral cristã, portanto, comum a outras seitas (e que para as religiões anteriores ao cristianismo não chega a ser nenhuma novidade), não sente perniciosa a escola chamada "leiga" que só à moral católica ou, antes, à política da Igreja romana costuma dar sobressaltos.

Argumentando-se lealmente, tem-se de chegar sempre à convicção de que é mesmo dever da escola ser rigorosamente "leiga".

Mas, quando se quer alcançar uma conclusão diferente, faz-se a confusão das palavras, porque, deturpando-se-lhes o sentido, é claro que se vai direito a qualquer fim premeditado.

É assim que está sucedendo na Espanha republicana.

A revolta do sentimento popular contra o dogmatismo enraizado no fundo dos séculos, e querendo ordenar, da sua imobilidade artificiosa, no progresso livre e interminável da vida, determinou na mudança de regime espanhol uma alteração extraordinária na feição tradicional geralmente emprestada àquele país.

Surgiram logo os interesses da Igreja romana reclamando os seus muito discutíveis direitos.

E, agora, em sessão das Cortes Constituintes, o sr. Albornoz, ministro da Justiça, teve de descer a uma explicação tão elementar que se julgaria impossível a sua discussão entre pessoas tão representativas, se acaso não estivéssemos acostumados a ver como o fanatismo perturba as inteligências, e deforma propositalmente ou não as atitudes das suas vítimas.

Respondendo a uma interpelação de vários deputados sobre a dissolução da Ordem dos Jesuítas, aquele ministro teve de declarar que o decreto que a determina não significa nenhuma perseguição religiosa. É que o governo não segue uma política antirreligiosa, mas "leiga". Exatamente como no caso das escolas.

O sr. Albornoz conseguiu ser de tal maneira claro que, para mostrar a diferença desses dois pensamentos, disse assim: o decreto não é antirreligioso, "porque o sentimento religioso da Espanha foi sempre hostil à Companhia de Jesus".

Aí está uma coisa que os jesuítas são capazes de não querer entender. Como é que, então, se pode ser religioso sem se ser jesuíta? – pensarão eles. Tal qual os católicos, quando murmuram sonhadoramente: "Pode-se lá ser religioso fora do catolicismo?..."

Mas pode-se, mesmo. Basta ver que o sentimento religioso já andava por este mundo, quando se inventou o papa. Afinal de contas, é uma coisa constatada pela história.

E nenhum educador, seja ele qual for, mas sendo verdadeiramente *educador*, desconhece e deixa de respeitar o sentimento religioso da infância. Mas isso é uma coisa. Que a psicologia estuda, e de que a educação se apercebe e orienta carinhosamente. Mas de que não abusa. O abuso está em aplicar uma disposição espontânea ao serviço de um interesse estranho à vida, que a violenta e deturpa.

A Escola Leiga é leiga por isso. Porque deseja salvar a criança. Contempla-a, ama-a e deixa-se estar à distância justa em que esse amor possa ser todo o amor, à custa de ser um voluntário e sobre-humano esforço para a liberdade integral que cada vida merecer, – tendo-lhe dado o melhor de si mesma, e tirando, da sua dádiva, o constrangimento da própria lembrança de quem deu e do que deu.

Rio de Janeiro, *Diário de Notícias*, 6 de fevereiro de 1932

Cooperação

Todos os dias a gente mede com uma profunda curiosidade os efeitos da Revolução brasileira. As desilusões cresceram mais depressa que os seus resultados propriamente ditos. Andamos cansados disto. Tão cansados, meu Deus, que temos até saudade do princípio dos tempos, daquelas vetustas eras liberais, em que tínhamos Constituição, com separação de poderes e pacifismo assegurado. Tão bom. O Brasil – a gente ia pensando, instruída pelos discursos cívicos – era o país mais rico do mundo: verde das florestas, amarelo do ouro e do sol, azul do céu, com o cruzeiro feito de propósito para nós... E a legenda que na infância nos deu tanto trabalho a entender. Ordem e Progresso. E o Hino Nacional, empolado, – plácidas, retumbante, fúlgidos, penhor, lábaro, clava, garrida...

Depois, mais tarde, já se associavam as lembranças. E aparecia o conto de Artur Azevedo, com a sua perguntinha engraçada: "O sr. como gosta mais da bandeira: com ou sem letreiro?"

Brasil. Com *s* ou com *z*? Ninguém sabe ainda... As cédulas da Casa da Moeda rezam de um modo, os papéis oficiais de dois, a Academia quer que seja assim, as escolas ensinam diferente...

Mas Brasil, de qualquer modo. Com mosquitos, com febre amarela, com analfabetismo, com Lampião, com política...

O Brasil saído daquela floresta assombrosa cheia de figuras coloridas, que um dia viram vir chegando pelo mar o movimento das naus desejosas, e não puderam fechar as suas imensas árvores, para resistirem à tentação do mistério chegado de longe...

O Brasil que a gente decorou depois, que tinha sido grandioso no momento dos holandeses, no momento dos bandeirantes, e noutros pequenos momentos que ainda pareciam mais bonitos que esses que se viam mais depressa por causa da ilustração do livro...

O Brasil. Sem literatura. Sem nenhuma ênfase. Já sem o hino e sem a bandeira. Sem discurso. Sem civismo encomendado. Brasil. Um pedaço de terra para o trabalho, o amor e a morte de uma porção de homens. De filhos seus e de filhos de outros lugares. Esse sim que era o Brasil para ser grande.

Tão bonito que nem precisava da legenda que é uma espécie de recomendação médica. Ordem e Progresso. (O outro personagem do conto respondia: "Sabe? com a legenda parece-me tabuleta...")

Dizem que o Brasil estava muitíssimo atrapalhado. Com certeza estava mesmo. Foi por isso que houve a Revolução. Para consertar. Dizem que foi para isso.

Mas, quem é que pode garantir que foi?

Os dias têm andado, andado, andado.

E os casos surgem. E caso aqui, caso ali, caso acolá.

Começa um, acaba outro. Interventor que sai, interventor que quer ir, entrevista que diz que sim, entrevista que diz que não. Trem que sai vertiginosamente por aí afora, avião que desce; avião que sobe...

Para quê?

Para consertar o Brasil.

O Brasil, – essa coisa admirável que deslumbra os estrangeiros com a nossa baía que é a mais bonita do mundo. Os senhores sabem...

Ora, com essa dispersão em que vamos, parece que tão cedo não o consertaremos. Porque o meu vizinho da direita é pela Constituinte. Mas o da esquerda é pela ditadura. O da frente é pelas duas coisas, em certa proporção. E o de trás não é por nenhuma delas. Essas são as quatro únicas opiniões definidas que há no Brasil. As outras são conforme. Conforme. "Diga-me uma coisa, se vier a Constituinte quem é que manda? Ah! então sou contra..." "Escute, com a Constituinte ficam as taxas da Universidade? Ou não?" "Olhe, com a ditadura, a minha cunhada que era do Ministério da Agricultura..."

Se todos pensassem ao mesmo tempo só no Brasil, no Brasil Brasil, no Brasil de todos, no Brasil centro de irradiação de uma nacionalidade, de uma cultura, de uma grandeza, todas as coisas se viriam colocar por si mesmas nos devidos lugares. Mas ainda não chegou o instante da cooperação.

E só a cooperação pode assegurar as grandes realidades.

Melhor do que em tudo o mais, se sente isso na obra de Educação.

Aliás, foi isso mesmo que disse o dr. Isaías Alves, quando assumiu o cargo, que está ocupando, de subdiretor técnico de Instrução.

Rio de Janeiro, *Diário de Notícias*, 24 de fevereiro de 1932

O dia de "engolir a cápsula"

O leitor vai começar por estranhar o título deste "Comentário". Eu mesma na verdade estou achando que isto não é título de "Comentário". Mas os fatos que acontecem não pedem licença a ninguém para virem com este ou aquele nome. Eles se apresentam sozinhos, e a gente tem de os aceitar assim, na sua liberdade, resignando-se às formas que trazem, e que podem, às vezes, parecer estranhas e até inoportunas.

O dia de "engolir a cápsula" é uma coisa muito séria.

O mais séria possível.

E o leitor vai verificar com os seus próprios olhos, pela cena que lhe passo a descrever – sem aquele colorido da realidade que em certos casos se torna indispensável, para que os acontecimentos possam ser acreditáveis:

A mamãe está muito contente. Radiante. Com uma frescura nova em torno de si. Há uma grande novidade em casa. Uma novidade que a enche de tranquila satisfação. Como quem vê cumpridos os seus deveres maternos, e sente o alívio de ficar isenta das preocupações da responsabilidade.

A menina, a menina, que tem apenas sete anos – oh! o prodígio dessa precocidade! – já está aprendendo o catecismo. Que bom!

As visitas ficam informadas. A menina tem de aparecer para mostrar os dons da sua inteligência.

Quanta coisa já sabe, aquela menina de sete anos!

"Padre nosso que estás no céu, santificado..." "Creio em Deus Padre todo-poderoso..." "Ave Maria cheia de graça..." Etc.

A pequena às vezes tropeça nas vírgulas, passa por cima dos pontos, diz as palavras trocadas, – mas que importância tem isso tudo? Não. O essencial é aprender o catecismo. É tão bonito!

Por isso a mamãe está assim satisfeita.

Como aquela senhora de um livro de Eça de Queirós. E com um desprezo absoluto pelas crianças, como o Carlos da Maia, que não sabem desfiar o terço e fazer o sinal da cruz a todo o instante, para espantarem o demônio.

A mamãe está satisfeitíssima.

A menina não está achando nada extraordinário. Mas continua a repetir todas as rezas que decorou. E as visitas contemplam o espetáculo, cada uma com as suas ideias, sem saber de que maneira essas ideias todas ocultas se colocariam em face uma da outra, se o pensamento não fosse por enquanto uma coisa ainda meio secreta.

Mas, entre as visitas está uma que é mais da intimidade da família.

E, depois de recitar todas as suas orações, a menina volta-se para ela, e diz-lhe:

– Olhe, fulana, você agora tem de fazer um vestido para mim. Eu preciso de um vestido branco bem comprido, para o dia de engolir a cápsula.

E esse dia o leitor já sabe qual é. Reflita agora como quiser sobre o assunto, e veja se o título deste "Comentário" não é mesmo muito sério, apesar de não o parecer.

Rio de Janeiro, *Diário de Notícias*, 11 de março de 1932

O arrependimento...

Encontrei num jornal este telegrama:

> Paris, 14, (UTB) – O cardeal Verdier, arcebispo de Paris, não obstante a atuação política do sr. Aristides Briand com respeito à separação da Igreja do Estado, houve por bem que o grande obreiro da paz não fosse sepultado sem a absolvição católica.
> Como é sabido, em virtude da questão suscitada naquela época, o sr. Briand fora excomungado pelo Santo Padre. A cerimônia da absolvição foi quase reservada e quando o cardeal arcebispo, com suas riquíssimas vestes, no Quai d'Orsay, aspergiu o sarcófago de Briand, achavam-se presentes somente o presidente da República, a família do ilustre morto e os membros do governo.

Devo confessar preliminarmente que gostei da precisão com que o telegrama se refere às *vestes riquíssimas* do cardeal arcebispo. É realmente um detalhe importantíssimo, para a absolvição. Tenho notado, mesmo, que a religião católica, apesar de discordar de vez em quando da moda, não tem nenhuma tendência para discordar do luxo. Aquele telefone do papa é uma coisa do arco da velha. E se é por seu intermédio que ele se comunica com o Eterno, fica justificada, afinal, a sua notória falibilidade.

Pois uma das provas de falibilidade evidente são – com telefone ou sem ele – esses recuos que a Igreja constantemente faz sobre atos devidamente realizados, que mais valia fossem conservados na sua injustiça que servirem depois a cenas extraordinárias com que a Igreja pretende talvez demonstrar a sua magnanimidade, não logrando senão tornar mais claro o seu pendor para o erro e a sua precipitação de julgamento, prejudicado ainda mais pelas conveniências políticas que são coisas de fazer virar a cabeça aos homens mais ponderados do mundo.

Outra coisa que me preocupa, no telegrama, é o fato da cerimônia da absolvição de Briand ter-se realizado com um número tão reduzido de espectadores.

Pois haverá coisa mais bela e edificante que o arrependimento? E não é diante de um caso de arrependimento da própria Igreja que nos encontramos, vendo retirada a excomunhão dos restos mortais daquele que, descendendo embora de pais muito católicos – segundo dizem – sempre arranjou maneira de se indispor com Roma?

"... houve por bem que o grande obreiro da paz não fosse sepultado sem a absolvição católica..." – Quer dizer, existiu um homem que trabalhou, numa longa vida, em tempos de ideias controversas, entre homens de interesses desiguais, lutando por um princípio de fraternidade em cuja defesa milhares e milhares de criaturas – quase a totalidade do mundo, segundo certas estatísticas... – nunca empenharam um instante do seu tempo, nem uma parcela do seu pensamento e da sua atividade.

E esse homem não era católico. Mais do que isso: estava separado da Igreja por aquele a quem se costuma chamar o Santo Padre.

Se esse homem era bom, a Igreja estava errada. Se a Igreja estava certa, esse homem não tinha valor nenhum.

O dilema poderia continuar de pé, se agora o cardeal arcebispo não vestisse as tais roupas riquíssimas para proceder à absolvição. Ora, essa absolvição não foi solicitada pelo morto, que, mais uma vez, é vítima de um atentado contra a sua liberdade... Logo, partiu espontaneamente do Vaticano. Que se há de concluir senão que o homem era bom, que a Igreja falhou e que agora, arrependida, – ao menos isso... – resolve reconsiderar a injustiça e penitenciar-se do erro?

Mas essa penitência devia ser pública, bem pública, – e não assim em segredo com as personalidades oficiais do governo, apenas...

A não ser que a absolvição também só interesse a essas personalidades, e a sua significação seja a de mera transação política, o que não seria nem de estranhar, sequer...

Mas por que este "Comentário", com estas coisas?

Simplesmente porque, no momento confuso da Revolução, apareceu também aquele decreto sobre o ensino religioso, de autor ignorado, e finalidades suspeitas. Convém, portanto, que se esteja atento às atitudes da Igreja por ele beneficiada, para se julgar com mais justiça que ela, considerando-a com clareza e rigor, ainda que sem paixão, e sem a mínima sombra de interesse inferior.

Rio de Janeiro, *Diário de Notícias*, 16 de março de 1932

Uma atitude histórica

Deve ser coisa extremamente desagradável ocupar certas situações de responsabilidade oficial, não pelo que exigem de aplicação, de inteligência, de conhecimento, mas pelas complicações constantes de que se pode ser vítima, pela malícia dos interesses que andam gravitando em redor.

Nada mais comum, em solenidades de natureza perigosa, que o convite a pessoas capazes de as prestigiarem com a sua presença, de lhes darem um caráter de importância que por si mesmas não têm, mas de que se envolvem com os nomes dos presentes, que assim trazem uma colaboração involuntária a uma coisa com que não têm a mínima relação, que não apoiam, de que não participam, que muitas vezes nem sequer conhecem bem, tendo comparecido por circunstâncias estranhas ao seu verdadeiro interesse, obedecendo a um simples sentimento de cortesia, ou a qualquer outro acaso ainda mais neutro, e estando, na verdade, tão longe dali como se não tivessem saído de casa.

Mas uma parte do público que não sabe dessas coisas, e as pessoas crédulas que se iludem com qualquer notícia de jornal, quando leem a lista dos que comparecem a uma solenidade julgam do seu valor pelos nomes que encontram, – e, em certos casos, são os nomes oficiais que causam mais escândalo, porque a hierarquia social ainda tem um valor supersticioso, e, entre nós, a Revolução ainda não fez esquecer que onde está um nome oficial está a política, e não anda longe, portanto, qualquer secreta exploração...

Outro dia, inaugurou-se um instituto católico, de ensino particular, destinado à propaganda dessa conhecida corrente político-religiosa. Li a reportagem dos jornais, como leio todas as outras reportagens. E vi a fotografia que a ilustrava. Tão sugestiva me pareceu, tão digna da atenção dos leitores que se interessam pelos assuntos de educação, que não me posso furtar a este rápido comentário.

Entre os convidados, figurava o sr. Francisco Campos. É justamente o caso do convidado oficial. Acontece que o sr. Francisco Campos é ministro da Educação, além de o ser interinamente da Justiça. E é também poeta. E criatura humana. Num Estado leigo, que ainda não deixou de ser República, e até, pelo contrário, fez uma revolução para firmar melhor as suas convicções de liberdade e de progresso, um instituto católico só é admissível pela própria liberalidade das leis, que igualmente permitirão institutos de estudos bíblicos, metafísicos, de religiões comparadas, de religiões orientais etc. A todas essas fundações é natural que compareça um ministro de Educação, sem que a sua presença queira dizer que a fundação tem caráter oficial, nem mesmo que chegue a ter valor nenhum.

Deu-se isto, portanto: antecipando-se, naturalmente, a outras instituições idênticas, surgiu esta, de orientação romana. O sr. Francisco Campos, que ligou o seu nome indelevelmente ao decreto do ensino religioso nas escolas, – e que poderia, portanto, ter qualquer simpatia pessoal por aquele credo, – compareceu e deram-lhe – aliás sem abuso das circunstâncias – um lugarzinho que não foi o de honra, que não foi o da presidência da solenidade, muito justamente confiada ao núncio apostólico e ao sr. Sebastião Leme.

Ora, o que a fotografia da mesa revela é a aflição psicológica do sr. Francisco Campos no instante de explodir o magnésio, quando o ministro quis deixar patente, nos clichês do dia seguinte, a isenção com que estava ali sentado, sem comprometer a ideologia da Revolução à que serve, Revolução que prometeu ao povo a liberdade de espírito que a má política se ia esquecendo de lhe conceder, ou lhe ia todos os dias roubando.

A atitude do sr. Francisco Campos, naquela fotografia, é uma atitude histórica e inesquecível. Um ministro não se deixaria fotografar assim, displicentemente sentado, a folhear um livro, numa solenidade que merecesse qualquer atenção do governo. Nessas horas graves todos sabem como se dá a impressão de importância, apoiando os antebraços na cadeira, entrelaçando os dedos, erguendo o pescoço com imponência e deixando formar-se entre as sobrancelhas uma bonita ruga de circunspecção...

... Não era o ministro que estava ali. Ali estava uma pessoa atrapalhada com a sua situação de ministro, num caso difícil, em que já se enredou pela astúcia de um decreto que ninguém sabe ao certo de quem é...

Mas não se pode negar ao sr. Francisco Campos uma inteligência especial, de que se serve muito bem nas suas horas de atrapalhação.

Olha-se para a sua cabeça atribulada, neste instantâneo perverso, e tem-se a visão do seu transe.

Talvez, a princípio, o sr. Francisco Campos contasse não ser atingido pela fotografia. Mas a iminência do perigo chamou-o à crueza da realidade. Como negar, de futuro, qualquer insinuação que se lhe quisesse fazer, de prestigiar uma fundação sectarista diante das provas encontradas nos arquivos de jornal? Ainda não se fazem fotografias sincronizadas. E talvez, mesmo neste caso, ele não pudesse sair dizendo: "Aqui não sou o ministro, mas um simples convidado..." Ocorreu-lhe então a mais sutil das fórmulas silenciosas de defesa: tomar uma atitude sugestiva que só por si desse ao leitor uma impressão inequívoca acerca da sua presença. E apanhou, talvez sobre a mesa (não cremos que tenha levado no bolso), um livro, ou prospecto de propaganda, mergulhando-se na sua leitura ou simples contemplação, naqueles instantes trágicos do magnésio, – que, aliás, comparados com o dos discursos, parecem quase sempre da mais deleitosa suavidade...

Foi como se o sr. Francisco Campos ficasse dizendo: "Eu sou o intelectual, o poeta, o homem que gosta de ler... Não é o ministro que está aqui. Não pensem mal da Revolução, precipitadamente..."

E deixou-se estar como os modelos de todos os quadros e esculturas simbólicas, com os seus rolos, as suas tabletes, os seus infólios, os seus livros, como a deusa Clio e a *Poesia*, de Rafael, – e como inúmeros retratos célebres de artistas: o Sá de Miranda, de braço metido na correntinha, sobraçando um volume, o de Turgueneff, que Perov pintou, o de Moore, no quadro de Shee, o de Rodó, à sua mesa de trabalho, aquele de Goethe que agora, no centenário, todo o mundo viu...

Gente mais maldosa do que eu diria que, num ambiente puramente medieval, o sr. Francisco Campos não fez senão posar como figura da época, faltando apenas pôr-se de joelhos, com as mãos cruzadas sobre o peito, e a cabeça de lado, com barretinho e capa.

Mas as reportagens registram também que o sr. Francisco Campos não aplaudiu absolutamente nenhum discurso. E isso vem confirmar o meu ponto de vista, que, além de generoso, parece indiscutível. Só não se aplaude um discurso por hábito de não aplaudir ou por desacordo de ideias. Posso afirmar que o sr. Francisco Campos gosta de bater palmas, porque já o vi, numa reunião educacional, aplaudir na hora certa todos os discursos pronunciados, que foram seguramente uns seis ou sete. E tal era a sua convicção de falta de perigo, que aplaudia até sem ter ouvido muito bem, pois estava entretido conversando outras coisas, enquanto os oradores falavam. Mas o sr. Francisco Campos sabia que aquilo era uma reunião de educadores, e que ali não se diria uma palavra que não pudesse ser convertida em lei.

Por que não aplaudiu agora?

Faço-lhe a justiça de registrar isto aqui e de chamar a atenção para o seu retrato, porque compreendo o que deve ir de tortura em se explicar ao público uma criatura na sua situação.

Mas pode ser que os acontecimentos futuros expliquem tudo isto de outro modo. Mesmo porque os homens, como as mulheres, também variam muito... Isso depois se verá... E o mal costuma ficar com quem o pratica. Eu, por mim, estou só tentando fazer bem...

Rio de Janeiro, *Diário de Notícias*, 27 de maio de 1932

Nitidez de intuitos

Consideremos alguns trechos da declaração ministerial que acaba de ser lida em França por Herriot e René Renault:

> O governo que ora se apresenta diante de vós foi constituído para servir os interesses da França de acordo com as generosas tradições da nossa democracia os quais o gabinete está firmemente resolvido a defender de acordo com os interesses da ordem internacional, cuja segurança é indispensável para garantir o princípio supremo da paz.

A declaração vem de um regime esclarecido, é certo, mas não extremista. Uma democracia que quer viver com mais certeza de si mesma e das suas possibilidades; que analisa a situação nacional, em todos os seus aspectos, procurando a melhor solução para o estado em que se encontra, em relação a si mesma e ao mundo. E três problemas são especialmente focalizados nessa declaração ministerial: três problemas que encerram, na verdade, toda a preocupação do mundo moderno, porque neles está a definição do seu próprio destino: o do trabalho, o da paz e o da educação.

Sobre este último, convém chamar a atenção das pessoas interessadas no assunto. Diz a declaração:

> Desejamos na união da vida material e da vida espiritual valorizar todas as riquezas do país. Fiéis à doutrina laica que não comporta intenção agressiva, e sim as garantias da liberdade pessoal e da fraternidade nacional, estamos dispostos a refundir todo o nosso sistema de educação num plano racional. Estamos dispostos a tornar integralmente gratuitos os estudos dos cursos secundários de modo a tornar acessível a todos os filhos de França a instrução e a preparação à vida em todas as suas manifestações.
>
> Fiéis à doutrina laica, que não comporta intenção agressiva, e sim as garantias da liberdade pessoal e da fraternidade nacional...

Valia a pena fazer-se desta frase uma tiragem especial para ser largamente distribuída pelos que ainda não entenderam o sentimento da Escola Leiga, bem como pelos que o procuram obscurecer e deformar.

Ela nos faz pensar num trabalho do professor uruguaio Hipólito Coirolo, que, desenvolvendo o tema da Escola Leiga, teve oportunidade de escrever:

> É verdade que o ensino oficial se desenvolve dentro dos ideais laicos em muitos países republicanos, mas também é certo que nessas mesmas nações se permite, graças a uma errônea interpretação da liberdade de ensino – que nas escolas particulares se ensine religião.
> E é uma interpretação errônea – continua Hipólito Coirolo – porque o Estado – em face do interesse da sociedade e dos direitos da criança – tem o dever de traçar normas gerais iguais, que presidam e orientem a ação total do ensino primário.
> De acordo com esta tese, o Estado não cumpre integralmente com a sua obrigação estabelecendo o laicismo no ensino por ele ministrado: deve completá-la fazendo-o extensivo ao ensino particular. Não o fazer é injusto e antidemocrático; é permitir a formação de duas classes de crianças: as protegidas contra as escolas tendenciosas e as que – por imposição dos pais – devem desenvolver seu espírito num sentido dogmático.

O autor continua seu trabalho citando opiniões de sociólogos, educadores e intelectuais: Santin Rossi e Ortega y Gasset, Bernard Shaw, Ellen Key, os enciclopedistas etc.

E a certa altura diz, afinal, quanto é isento o ensino leigo, – com essa nitidez com que, aliás, os seus defensores costumam saber exprimir os seus intuitos:

> A Escola Leiga é a instituição que – prescindindo de qualquer preconceito – educa as crianças no amor à liberdade e à ciência, preparando gerações capazes de pensar livremente, com o espírito aberto sempre para receber o influxo dos mais humanos e profundos idealismos.
> Ela está livre de poder ser acusada – como a Escola Confessional – de abusar da incompreensão da criança para a catequizar, abatendo a força do direito com a autoridade brutal dos processos de compressão.

Quando um educador moderno escreve assim "catequizar", seu pensamento se alarga por todos os credos religiosos ou políticos. Porque a Escola Leiga é sem ligações interesseiras de qualquer espécie. Seu papel é informativo e educativo. Informando, ela põe à disposição da criança, sem mesquinhez ou parcialidade, aquilo que a possa interessar legitimamente, isto é, solicitado pelas atividades que vão elaborando a sua figura humana. Educando, ela controla a pureza das suas próprias informações, equilibra num instante do tempo as inquietudes todas da vida, e, à força de amar todas as tentativas humanas, não encontra motivo de excluir nem de favorecer nenhuma, como experiências que são de um progresso constante e sem fim.

Mas, voltando à declaração ministerial: não é, na verdade, sugestivo, para todos os países que lutam pela sua formação, o exemplo que a França agora dá, repetindo o de outros povos, que, no seu programa de ação, tratam com especial interesse assuntos deste molde: o trabalho, a paz, a educação?

Rio de Janeiro, *Diário de Notícias*, 9 de junho de 1932

Educação

Informa o telégrafo que o ministro von Gayl, em carta dirigida aos seus colegas dos vários Estados do Reich, acaba de salientar a importância da educação da mocidade no reerguimento do país.

Acrescentava ele esperar a pronta unificação das leis escolares, observando, ao mesmo tempo, que os professores não deveriam ser homens de partido, e sim colocar a ideia do Estado acima das opiniões partidárias.

Só esta última parte daria, não para um, mas para vários comentários. Arrancar o professor à sua participação política talvez seja menos razoável do que exigir-lhe apenas, como professor, isto é, no exercício das suas funções, aquela mesma isenção que se lhe impõe no terreno religioso. Como, porém, os fatos variam conforme os lugares em que se passa, e não há nada, a rigor, absolutamente infalível, o caso não é considerado aqui senão de passagem, para que sobre ele se pense com mais precisão e vagar.

O que, porém, constitui uma verdade invariável é a importância dada, pelo ministro do Interior, à educação da mocidade de sua terra. Essa é uma verdade também mundial. É o centro de todos os problemas, o eixo de todas as transformações, a base de quaisquer tentativas de civilização que, por ela, se definirão com estes ou aqueles caracteres, favoráveis ou não à liberdade humana e, conseguintemente, à interpretação mais perfeita da vida.

Estamos num tempo de distúrbios, que se condenam facilmente, mas que vêm de causas profundas que não podem deixar de existir só porque se lhes tolham os efeitos.

No entanto, todos nós queremos tranquilidade. O sonho mais autêntico de todos os homens é o belo sonho de paz em que a vida frutifica em toda a sua plenitude.

Só nos faltam os poderes de construir esse ideal necessário. Porque não atendemos devidamente às razões mais profundas e mais graves das coisas. Porque nos dispersamos em apreciações fúteis, interesseiras, mesquinhas. Porque olhamos para o imediato, e voltamos as costas ao permanente. Porque fazemos apenas o pequeno esforço indispensável para nos defendermos das desgraças mais diretas, sem esta coragem, este fervor, este entusiasmo de tentar impedir também aquilo que não nos atinge, mas que atinge a outros, e pelo qual somos algo de mais grave que "vítimas", porque somos responsáveis.

A educação da mocidade. O nosso mais urgente problema. Aquele de que tudo dependeria. Aquele que seria a possibilidade da nossa salvação.

Mas a mocidade passa agora por esta prova de fogo, por esta amarga prova inconcebível, que é um luto para as esperanças do Brasil.

Veremos, desta vez, se era o sofrimento o que faltava à formação brasileira. Se era de um alimento de sangue que carecia o nosso crescimento de povo. Se das longas horas de fogo sai, realmente, em todos os casos – e é o nosso que nos interessa agora – uma têmpera invencível, para a conquista das realidades que nos faltam.

Ao menos, se assim fosse, ainda seria suportável a amargura desta experiência, – que é, afinal, uma rude experiência de educação.

Rio de Janeiro, *Diário de Notícias*, 31 de julho de 1932

Política e educação

O dr. José Rafael Wendehake é um médico venezuelano que, curtindo um longo exílio político, tem percorrido o mundo fazendo a propaganda de libertação do seu país, dos vinte e quatro anos de ditadura do general Juan Vicente Gómez.

Essa propaganda tem sido feita em artigos e conferências, nos quais o autor, além de relatar as atrocidades cometidas por esse governo, estimula as energias redentoras necessárias para o soerguimento de um povo exausto de sofrer.

Uma das suas últimas conferências acaba de ser publicada. Chama-se *"Venezuela en los últimos treinta años"*, e foi lida no Chile, na Argentina e no Uruguai. Nela, o autor passa em revista a história de sua terra, cheia de lances de tirania sanguinária, estuda as condições econômicas da região, o despovoamento, as estradas de rodagem – *"las vociferadas carreteras del gomecismo, trazadas con fines bélicos, estratégicos y no económicos, pues sólo sirven para unir sus haciendas y movilizar las tropas de la dictadura"*, – as prisões em que se denunciam os mais espantosos suplícios que a imaginação humana pode inventar. E toca, a seguir, no problema da educação.

Não nos podemos furtar à reprodução dessa página, em que se dizem verdades nítidas, com a veemência das vítimas que não se deixam oprimir, e, do fundo de todos os desterros, insistem na rebeldia de um sonho de libertação:

> *Gran parte del atraso de nuestro país se debe a cien años de gobiernos incompetentes, absurdos y dictatoriales.*
> *Esta situación intensamente triste de masa vegetativa impermeable a las tendencias innovadoras se debe basicamente a nuestras tenebrosas dictaduras, que sólo pueden subsistir con ese 30 por 100 de nuestro analfabetismo, carecendo del número suficiente de escuelas e institutos de enseñanzas prácticas, poniéndosele las mil trabas a la iniciativa privada civilizadora y a la cultura multiforme.*
> *El Gobierno Federal, casi el único que se ocupa en el país de la Instrucción Pública, sólo gastó en 1927 Bs. 5.397.000 en el Ramo, mientras que la República Argentina, cuatro veces mayor, gastó 250 millones y Méjico dedica entre*

60 y 100 millones de bolívares, sin olvidar que en las últimas dos naciones los estados federales gastan bastante en su instrucción, como el mejicano de Jalisco, que invirtió dos millones y medio en el ramo referido, y nosotros apenas unos cuantos bolívares en las provincias venezolanas, que gimen encorvadas hace treinta años, bajo la presión de un hombre sin recursos mentales, para dar un movimiento civilizador a nuestra vida nacional.

Fuera de esta escasez descorazonante que nos exhibe como un pueblo idiotizado, abandonado de Dios; nuestra educación libresca es una factoría de profesionistas sin espíritu práctico ni productor, que sólo salen de los liceos y colegios como bachilleres para borlarse de abogados, médicos, farmacéutas, poetas y literatos, que por no haber visto nunca una escuela de artes y de oficios, de comercio ni de agricultura, van muchas veces no a levantar las torres ideales de la nacionalidad en la acción fecunda y creadora, sino a formar la Corte del Dictador y sus matarifes de caserío, que forman esa complicada patología de nuestra familia oficial.

Ahora bien, porque de esos colegios hayan salido muchas mediocridades que sólo han servido para ingeniarse en las más raras tonalidades de la adulación, no quisiéramos apagar esos únicos foguitos de luz en este período clásico de nuestro oscurantismo, sino intensificar la cultura industrial, la agricultura y la cría científica que el país necesita para hacerse independiente, y así ir disminuyendo con las escuelas de artes y oficios y comercio esas estériles carreras llamadas liberales que han sido a veces como el huano en que nutrió su savia el árbol fatal de la Dictadura, que si en obras tierras ha sido arbusto efímero, de poca vida, entre nosotros tiene esas hondas raíces y la vitalidad centenaria de nuestro samán del Guere.

Como un factor de nuestro analfabetismo alarmante, la despoblación dolorosa de nuestros llanos requería maestros ambulantes de rato en rato, que recorrieran una serie de estancias en una circunscripción, con materiales de enseñanza, esparciendo los conocimientos prácticos para preparar la mantequilla, el queso, jabones, ladrillos, mosaicos, hielo, medias y multitud de pequeñas industrias, que serian la base para la gran industria, después de nuestra verdadera economia nacional.

Entre los pocos establecimientos de enseñanza superior, nuestro instituto máximo, la Universidad de Caracas, ha salvado por la virtud heroica de sus estudiantes el concepto de nuestro decoro y de nuestra conciencia nacional, levantando muchas veces su voz de protesta en ese centro de alta cultura contra la barbarie. El Museo de Historia Natural y de Bellas Artes son obras de mérito pero embrionarias, y nuestro viejo Observatorio Astronómico, donde durmió años encerrado en sus cajas, sin montar, un anteojo ecuatorial durante esta larga noche de la tiranía juanvicentina, de caciquismo senil, de eclipse, señores, de nuestro espíritu nacional.

"Grande parte do atraso de nosso país se deve a cem anos de governos incompetentes, absurdos e ditatoriais."

Aí está uma frase em que nunca será demais pensar. A responsabilidade política, na obra educacional, é ponto que não se pode perder de vista, quando se tenta a reconstrução de uma pátria.

O Brasil que hoje queremos reconstruir não dispensa a coragem dessa difícil responsabilidade.

Rio de Janeiro, *Diário de Notícias*, 24 de novembro de 1932

O governo e a educação

Aproveitando a passagem do Natal, o dr. Getúlio Vargas endereçou aos interventores um telegrama-circular fazendo-lhes um apelo para atenderem com o máximo interesse os problemas referentes à criança, quer na parte que diz respeito à saúde, quer na que tem por objetivo a educação.

O telegrama termina com este longo e importante parágrafo:

> Desejando dar caráter prático a esta campanha, que é quase de salvação pública, deveis desde já, nesse Estado, ir congregando os especialistas no assunto, de forma a estudarem o problema, ampla e minuciosamente, em face das estatísticas e à luz dos ensinamentos da higiene moderna. Para coordenar o esforço das diversas unidades federativas, nesse sentido, o governo reunirá, logo que possível, nesta capital, um congresso em que estejam representados todos os estados. Tomando por base esses trabalhos preliminares, o congresso fornecerá, finalmente, ao Governo Federal os métodos e as diretrizes a seguir, para favorecer e auxiliar todas as instituições seriamente empenhadas em promover o bem-estar, a saúde, o desenvolvimento e a educação da criança, desde antes do nascimento, pela assistência à maternidade, até à idade escolar e à adolescência, proporcionando-lhe, ainda, os subsídios indispensáveis à promulgação de leis e regulamentos tendentes a realizar uma proteção eficaz à infância, com segurança de êxito.

Também o sr. Juarez Távora, no discurso de posse do Ministério da Agricultura, salientou a importância da educação popular, mostrando desejar alguma coisa mais que essa precária alfabetização que constitui uma fórmula salvadora para certos espíritos fanatizados.

E disse, enumerando os seus intuitos, como ministro, que desejava

> orientar, enfim, "utilitariamente" a educação das massas sertanejas, ensinando-lhes ao lado ou dentro da própria escola primária rudimentos práticos de agricultura e pecuária, de cooperação e previdências sociais, que lhe são bem mais indispensáveis para a vida que a simples alfabetização que ora ali se lhes proporciona.

Aí estão duas contribuições preciosas para a obra educacional, e tanto mais interessante quando enunciadas precisamente no momento em que se reúne a 5ª Conferência Nacional de Educação.

Tínhamos, já, um certo número de idealistas e trabalhadores intelectuais vivamente empenhados na construção do Brasil, pela construção dos brasileiros. Idealistas e trabalhadores que, à margem de qualquer estímulo oficial, faziam disso a razão de ser da sua vida de cidadãos e de homens.

Tínhamos, também, desde algum tempo, algumas personalidades, investidas de poderes administrativos, que se esforçavam pela realização dessa obra, ao mesmo tempo de inspiração e de técnica.

Faltava-nos, porém, uma visão geral do governo, através de cada um dos seus representantes diretos, para que essa obra que é, efetivamente, a de maior importância para o país, tivesse um estímulo harmonioso, e fosse, por assim dizer, o impulso unificador de todas as energias que se distribuem pelo país, seguindo rumos diversos, canalizadas pelos vários órgãos de distribuição.

Parece que estamos perto de acertar. Basta que o governo queira fazer uma política nova, uma política educacional, que será, enfim, a justificação de um programa revolucionário, e o seu conteúdo mais expressivo e mais perfeito.

Rio de Janeiro, *Diário de Notícias*, 27 de dezembro de 1932

Oratória e educação

Os congressistas que neste momento se reúnem em Niterói para a 5ª Conferência Nacional de Educação passaram por uma grande surpresa, assistindo à sua instalação, e ouvindo o discurso inaugural do seu presidente efetivo.

Nada pode existir com mais finalidades técnicas que os congressos destinados ao estudo de um determinado problema. E, numa hora destas, quando o Brasil procura acertar o seu ritmo de progresso por um conhecimento mais sincero da vida, e uma obediência mais inteligente às suas leis, nada se poderia exigir tão indispensavelmente técnico como este congresso, efetuado para um balanço das ideias educacionais correntes, e, decerto, para a sua divulgação, uma vez que, excetuadas essas, e ainda desconhecidas as do futuro, só restariam as arcaicas, a que ninguém naturalmente imaginaria voltar.

Assim sendo, a presidência efetiva do congresso deveria caber a alguém que, perfeitamente integrado no seu tempo e na sua terra, com uma visão harmoniosa dos homens e das coisas, equilibrado entre as mais contraditórias tentativas com que se procura exprimir o mundo, que de si mesmo ressurge cada dia, soubesse, a um tempo, compreender e expor a inquietude educacional, glória e beleza desta civilização sofredora – apontando os rumos que se descortinam, e sugerindo alguma coisa senão definitiva, pelo menos com caracteres de eficiência conciliáveis com o admirável esforço de pesquisa, de aplicação, de experiência, de sacrifício mil vezes recomeçado, que estão realizando os infatigáveis precursores das novas eras.

Precisamente as correntes educacionais de agora são unânimes na condenação dessas memorizações, desses devaneios, desses verbalismos com que, por muito tempo, se tentaram substituir ou iludir as imposições urgentes da vida. As correntes educacionais de agora convergem todas para o sentido das realidades justas: conhecem, preveem, buscam resolver cada problema pelos meios adequados, descrentes dessa superstição de acertar por acaso, e não só descrentes, como desgostosas, também, com semelhante processo.

Mas o Brasil, malgrado a própria tentativa educacional em que se empenha, parece conservar ainda a praxe que já nos celebriza, do discurso ornamental. Com ele costumamos perturbar todas as homenagens: do almoço fraternal à comemoração cívica.

Ainda uma vez, de acordo, talvez, com essa praxe, e perdendo de vista a sua incoerência num congresso de educação, – embora tendo já tão bom exemplo, anterior!, – o Brasil inaugurou trabalhos tão importantes, tão diretamente ligados ao presente, tão palpitantes de pensamento, de emoção e de realidades, com um discurso apocalíptico, sonoro, cheio de imagens sagradas e profanas, palavras, pontos, vírgulas e reticências. Principalmente reticências. Tantas reticências que uma grande parte do auditório parece ter-se perdido nelas, à procura da correlação entre o que ouvia e o que pensava ir ouvir.

E como, em nome dos delegados, falou um professor que apresentou pontos de vista diversos, embora rápidos, dos confusos panoramas anteriormente esboçados na vertigem oratória, é possível que os congressistas estejam esperando por alguma outra sessão que lhes revele, enfim, este segredo educacional que, na primeira, ficou hermeticamente oculto, com um zelo avaro, como o sentido de um hieróglifo, sem Champollion.

Rio de Janeiro, *Diário de Notícias*, 28 de dezembro de 1932

Considerações

A passagem do dr. Fernando de Azevedo por esta capital não pode deixar de lembrar, mais uma vez, a sua atuação no Brasil de um ontem tão próximo que ainda é hoje, e, também, tão fecundo que ainda será por muito tempo amanhã.

Quando a Reforma Fernando de Azevedo surgiu, poucos a esperavam, poucos a desejavam, portanto, poucos a poderiam compreender e servir bem. Isso não a impediu de triunfar, tanto estava no seu tempo próprio. E já quando agora se contemplam aquelas lutas de início e as perseguições, e as desconfianças e os rancores, tudo isso parece não ter existido, tanto se apagou diante da obra que permanece em crescimento.

Estímulo magnífico para os que dão vida a uma grande aspiração e, fortes a hora de a definirem, inflexíveis à hora de a sustentarem, transpõem esses infernos com que a humanidade costuma experimentar os precursores, e conseguem chegar além, onde implantam as realidades novas que se fazem necessárias ao mundo.

A Reforma Fernando de Azevedo teve, malgrado os obstáculos do momento, virtudes de expansão que lhe ampliaram as qualidades locais, dando-lhe quase um caráter nacional. Reformas posteriores evocaram-na como um ponto de referência e um motivo de inspiração.

E o atual movimento de educação, que, neste período revolucionário, foi e está sendo a atividade mais séria, mais incansável, mais proveitosa e mais típica do Distrito Federal, é a continuação do programa nela esboçado, com essas indispensáveis alterações com que se adaptam os programas às situações práticas.

É verdade que esse trabalho de adaptação tem sofrido, por sua vez, os mesmos choques com que a reforma fora favorecida.

Mas, para os que veem de perto e com boa vontade – e até mesmo com má vontade e de longe – o caminho por onde estão indo tantos esforços e os seus resultados, é belo verificar como esse ritmo agitado a que se lançam as criações do espírito é, de fato, propício aos triunfos mais definitivos.

Temos estado em plena campanha educacional animados de estímulos inquietos, que são uma garantia de vida, mais palpitante e produtiva. Se o Brasil quisesse mostrar bem a sua revolução mais verdadeira, nos campos educacionais é que a teria de ir procurar. Porque aí é que está havendo mais evidentemente nítido um sentido de renovação clarividente, apoiado no conhecimento e na compreensão dos nossos poderes e das nossas deficiências, e dirigido com varonil desassombro para esses misteriosos portos do futuro, onde todos os dias se vai ter, e de onde todos os dias se torna a partir.

Nessa viagem permanente que faz a vida, e para a qual o homem tem de seguir com a coragem de quem domina os episódios mais imprevistos, e nisso faz consistir o seu próprio destino, – há que existir um impulso ágil, desinteresseiro, generoso, pronto a desfazer seus enganos e a reconstruir suas certezas; a perder a adoração por si mesmo, e a doença da fixação, para ser uma vibração poderosa, diversa, múltipla e una, vencendo as circunstâncias com o seu dom prodigioso de força reguladora do universo.

A educação é, cada vez mais, um golpe de vista sobre essa verdade, e um poder de ação para a controlar.

O Brasil, fatigado por uma luta que parece maior, pelo que possuiu e expandiu de amargura, vê, no entanto, que, depois de meses tristes, continua, como um coração robusto num corpo exausto, a grande palpitação desta obra educacional que aqui prosseguiu sem pausa nem perturbação.

Obra que é uma revolução, no mais belo sentido que essa palavra possa merecer. Obra que, em tempos ainda não revolucionários, um homem desligado de partidos lançou aos ventos incrédulos, e às vezes maléficos, mas nem tão maléficos e incrédulos que possam destruir as ideias sinceras e os atos oportunos.

Rio de Janeiro, *Diário de Notícias*, 19 de outubro de 1932

Educação e política

Fala-se muito no afastamento do sr. Francisco Campos da pasta da Educação. Segundo a versão mais corrente, deveria vir para ela outro elemento mineiro. E os que estão trabalhando pela renovação educacional do país têm o direito de procurar saber se, no caso de se confirmar aquele afastamento, a nova escolha será ditada simplesmente por interesses de acomodação política, ou se vai ser levado em conta o critério da competência, para preencher tão importante lugar.

Os bons propósitos da Revolução pareciam revelar-se quando, criado aquele Ministério, o confiaram ao seu atual ocupante. Na verdade, numa rápida inspeção pelos prováveis candidatos, a pessoa do sr. Francisco Campos se apresentava com títulos capazes de justificar uma nomeação honesta, – principalmente porque a Revolução, com um certo exagero de puritanismo, a princípio, cautelosamente afastava todos os valores que tinham atuado no governo deposto, – o que nem sempre terá sido feito com rigorosa justiça.

No entanto, o sr. Francisco Campos, na pasta que ainda ocupa, não conseguiu provar o acerto da sua escolha. E talvez não seja por incompetência, mas, ocupado em agir como hábil político e poeta digno de atenção, os problemas educacionais não podem merecer da sua parte o interesse que exigem, para serem bem resolvidos.

Acresce que o atual ministro é uma personalidade metafísica demais para algumas decisões que precisam ser tomadas com energia, rápida e inflexivelmente. Isso não será um defeito, – mas uma característica. Daí as demoras na solução de certos casos inadiáveis, as providências um pouco nebulosas acerca de outros, e sempre essa dispersão de curiosidade técnica, indispensável num cargo desses.

Ora, vamos admitir que saia do Ministério o sr. Francisco Campos. Quem o virá substituir?

A Revolução já não tem muito direito de errar, pelo menos por inexperiência. As duras provas por que tem passado dão-lhe, forçosamente, uma capacidade de autocrítica suficiente para lhe assegurar mais certeza de ação.

E, se o Brasil é, acima de tudo, um país que está sofrendo da falta de homens perfeitamente adequados às várias necessidades nacionais, e se a Revolução compreender – como é obrigatório que o faça – que só a Educação é capaz de resolver esse problema, de que tantos outros dependem, – o Ministério que a Revolução criou deve merecer um cuidado especial, sempre que tiver de ser preenchido.

O critério que indicou o sr. Francisco Campos talvez não tenha sido, rigorosamente, o educacional. Mas esse ministro vinha, como dissemos, de uma fase de atuação, em Minas, que, na verdade, lhe emprestava um certo prestígio de especialização. Que acontecerá se o Ministério vier a ser um simples pretexto político, um elemento de transação que os revolucionários não devem permitir depois das esperanças com que criaram estes novos tempos?

Certo, política e educação não constituem, afinal, mais que duas faces de um mesmo assunto: mas quando se trata de uma política educacional – que entre nós, malgrado todos os atuais esforços, ainda não está longe de parecer uma utopia.

Assim como estamos, há que desatender às injunções dos partidos e nomear os técnicos para os postos técnicos.

Aliás, ninguém deu mais brilhante exemplo de um desassombro desses que o dr. Pedro Ernesto, quando resolveu a situação do ensino no Distrito Federal. Só mesmo por um intuito perverso, por interesses desses que se costumam chamar "inconfessáveis", ou por volúpia de desonestidade, se deixará de reconhecer o que está sendo em todos os seus aspectos, embora com as dificuldades inerentes às organizações em início, a obra pedagógica desenvolvida pela atual administração.

Rio de Janeiro, *Diário de Notícias*, 8 de julho de 1932

sétimo núcleo temático

NOVA EDUCAÇÃO, ESCOLA NOVA, ESCOLA NORMAL E ENSINO PÚBLICO

FORMAÇÃO DO MAGISTÉRIO E QUALIDADES DO PROFESSOR

[Ser professor]

Dia a dia se torna mais difícil ser professor. Parece que atravessamos um período de penumbra, em que as responsabilidades dessa função se nublavam tanto quanto a finalidade da vida: e os professores, então, se acomodavam a uma situação burocrática em que, num automatismo fácil, iam arrastando os alunos através os vários anos da escola, vertendo-lhes no espírito o que os programas determinavam ser necessário conhecer.

Subitamente, a situação mudou. Saiu-se desse estado sonolento de rotina. Apregoou-se a "escola ativa" como atitude nova. Então, algumas vozes murmuraram queixosas:

– Mas eu nunca pratiquei escola passiva... Os meus alunos sempre trabalharam muito... Duvido que haja alguém que saiba "puxar" pelas crianças como eu...

Isso faz-nos lembrar aquele outro professor que se gabava dos seus méritos pedagógicos dizendo:

– Em matéria de capacidade pedagógica, sinto-me perfeitamente à vontade: tenho a voz tão forte que os meus alunos, do último banco, me ouvem bem como do primeiro!...

Oh! Na escola antiga trabalhava-se muito! Suava-se, e, até para resolver um "carroção" e "descrever um passeio marítimo" que nunca se tinha feito... Apenas o "carroção" nos deixava um tédio enorme pela vida, que assim nos recebia com enigmas mais ferozes que os de Édipo, e a descrição nos punha na alma a suspeita de que mentir não é coisa tão feia assim, pois se a gente protestava:

– Eu nunca viajei de barco... – a mestra, contrariada, insistia:

– Pois faça de conta que já viajou, e descreva!

Não é pela quantidade de coisas que ensina, que se avalia o professor. Nem pela sua assiduidade matemática. Nem pela sua pontualidade cronométrica. É triste estar dizendo coisas tão simples numa coluna de jornal. Mas é mais triste ouvir-se a cada passo um elogio destes:

– Fulana? Oh! Que boa adjunta! Não falta nem no dia do pagamento! Sicrana? Oh! Essa, então... Chega sempre à escola tão cedo que ainda encontra o primeiro turno...

Como se vê, a noção do professor "X" tal como o queremos hoje, ainda jaz muito em volta em equívocos...

Os que vão mais além, aferram-se à questão dos métodos. Dizia-nos, certa vez, um inspetor:

– O mal da Escola Nova está em não se determinar o método a empregar. Era preciso traçar um plano, para se saber, ao certo, como agir...

Ora, o bem maior da Escola Nova está, precisamente, em não haver um método que a resuma. No dia em que lhe inventarem um, cairemos outra vez na escola antiga, porque, então, já não se procurará descobrir cada dia a alma do aluno, e respeitar-lhe a personalidade... Toma-se o programa e vai-se repetindo, todos os anos a mesma coisa, como no tempo das "sebentas"...

Por isso dizíamos no começo: dia a dia se torna mais difícil ser professor. E, infelizmente, só há uma criatura que saiba distinguir os bons dos maus, os que educam, realmente, dos que não educam: essa criatura é a criança. Sua opinião é, em geral, franca e justa. Ela conhece quem penetra melhor os seus íntimos anseios, as suas inclinações, os seus sonhos. Quem os satisfaz, quem os fecunda, quem os orienta. Quem lhe dá essa plenitude interior que é a base da educação verdadeira. E, para se saber tudo isso é bastante perguntar-lhe:

– Qual é a professora de quem você gosta mais?

Rio de Janeiro, *Diário de Notícias*, 24 de junho de 1930

O professor moderno e a sua formação

Todas as vezes que pensamos na orientação atual das escolas, todas as vezes que se exalta nossa esperança de uma transformação da vida através o idealismo novo dos educadores de hoje, sentimos uma profunda inquietação em adivinhar que rumo tomarão as atividades interessadas em servir a infância da futura humanidade.

A maior dificuldade que encontra uma reforma ideológica é a impossibilidade de a cumprir no terreno prático, pela falta de elementos que a compreendam ou que sejam capazes de a levar avante.

Explica-se facilmente por que assim acontece. Os reformadores, por isso que o são, trazem sempre uma intenção que vai além das condições do momento em que atuam. Alteram, subitamente, com a sua iniciativa, o ambiente normal. São apressadores da evolução. Atingem bruscamente um fim que, sem a sua presença, teria de se ir aproximando lentamente. Saltam sobre a realidade da época, transpõem os preconceitos, os regimes, as leis, e oferecem, de repente, aos seus contemporâneos, o espetáculo da realidade longínqua que descobriram e conquistaram.

Como, porém, adaptar a essa visão os que, despreocupadamente, iam resolvendo os problemas cotidianos de acordo com as práticas estabelecidas?

A primeira impressão é de susto e receio.

A natureza humana tem isso de particular: enquanto, na infância, está pronta a todas as transformações, como substância maleável e ativa, começa, na maturescência, a aquietar-se em moldes plácidos, onde repousará definitivamente estacionária, se o indivíduo não for dobrado de um temperamento especial que o esteja sempre compelindo a novas atitudes e curiosidades.

A crise do ensino entre nós foi de curta duração, em suas linhas gerais, porque por um desses milagres de que o Brasil é fértil, a classe dirigente da educação rapidamente, e com toda a boa vontade, se procurou adaptar ao regime inaugurado.

É natural que ainda não se tenha conseguido tudo. O campo da educação é vasto, cada vez mais, e requer estudo e tempo para produzir convenientemente.

Mas, enfim, os que já se encontram em face do problema, tal como agora se apresenta, têm probabilidades de o irem resolvendo progressivamente. Conheceram a realidade antiga. Tiveram de enfrentar esta outra, sabendo já a distância que os separava da alma da infância. Adestraram suas forças para a atividade que urgia. As experiências antigas deram-lhes facilidades grandes para movimentos profícuos. Já estavam em plena ação. Esse fato lhes permitiu um confronto entre o passado e o presente. Souberam como transformar-se, conhecendo as necessidades existentes.

Como, porém, vão enfrentar e resolver o problema da nova Educação aqueles que pela primeira vez ingressam no magistério?

Oh! Certamente com muito maior facilidade, pois que nada terão a remover, – pensarão os que não estiverem bem a par da situação pedagógica.

Devia ser assim. Devia ser, se a Escola Normal estivesse, desde já, preparando seus alunos para o futuro que vai ser o seu presente. Mas, até a presente data, o que se verifica é que, salvo o pequeno contato que têm os quartanistas na sua prática da Escola de Aplicação, essas jovens chegam à formatura sem a visão do problema que as espera, sem compreensão, nem intuição, nem paixão pela psicologia infantil, para a qual, no entanto, terão de constantemente apelar.

Falta de vocação? Falta de estímulo? Orientação defeituosa?

Não se sabe. Mas é alguma coisa que interessa, e em que se deve pensar.

Rio de Janeiro, *Diário de Notícias*, 26 de junho de 1930

Professoras de amanhã

A escola moderna depende, mais que de leis, mais que do aluno, mais que da própria família deste, de um elemento capaz de modificar todos esses pela sua ação consciente, pela sua visão geral da vida, pela sua disposição de constante devotamento a um ideal, ainda sabendo-o de realização tardia, sentindo-o cumprir-se muito depois da sua ansiedade e do seu labor. A escola moderna depende, antes de tudo, do mestre.

Conheceu-se o momento da vida que se atravessava e exclamou-se:

> É preciso abolir o livro que escraviza e criar a personalidade em perpétua evolução! O sentido da existência anda perdido, morto em fórmulas fanaticamente veneradas pelo único prestígio da sua própria velhice! Estamos deixando o tempo escapar-se do caminho das gerações, sem que elas possam colher as suas alegrias, porque lhes traçamos rumos antigos, porque lhes proibimos gestos e pensamentos de liberdade, além dos curtos limites convencionais! Cada criatura contém possibilidades inéditas, sepultadas sob a nossa condenável indiferença: estamos sendo carcereiros de todo um futuro magnífico, encerrado por nossa culpa no silêncio e na sombra!

Foi assim que disseram os que inauguraram a grande época da Nova Educação. E não somente os de hoje, – mas os que, muito antes deles, vinham clamando com a inutilidade dos grandes precursores pelos desertos dos séculos adormecidos.

Quando, porém, se olhou à procura de quem devia abrir novas e claras sendas, de quem devia levar para outros sítios mais altos os novos, pequenos viajantes, sentiu-se, com lástima, a falta de guias: porque os que descobrem uma verdade sempre são menos que aqueles de que se necessita para a conduzirem mais adiante. São menos e vêm mais cedo.

Há que preparar, portanto, imediatamente, com aflitiva urgência, criaturas integradas na inquietude da hora presente.

Não se pode mais admitir o magistério como "meio de vida" que, por tanto tempo, foi. As condições atuais oferecem muitos meios, até mais cômodos, para os que, trabalhando apenas movidos pela necessidade da subsistência, não sintam uma atração irresistível, uma vocação conscientemente definida para o magistério.

Ser professor é como ser artista: não se faz; já se nasce...

Quantas promessas de verdadeiros professores, de valor educacional perfeitamente marcado, abrigará a nossa Escola Normal?

Pelo conhecimento "direto" das últimas turmas que de lá saíram, deparam-se-nos expectativas muito incertas.

Quantas vezes, considerando o critério dessas jovens professorandas, na elaboração de uma aula, pensamos com tristeza: Como puderam estas moças atravessar todo o seu curso sem descobrirem que é uma coisa extraordinária chegar a ser professor? Vão sair da escola amanhã. Que vão fazer? Elas mesmas não o sabem. Sua carreira de estudantes foi nublada, semiconsciente, como que automática... Parece-nos que assim continuarão na vida que iniciarem depois... Uma sensação completa de despersonalidade e interesse idealista. Uma espécie de cansaço antes de qualquer realização... Uma incapacidade de velhice, na mais radiosa mocidade. Ausência total de sonho, do sonho luminoso que estimula todas as tentativas, que dá coragem para todas as vitórias. Por que falta flama interior a essas jovens? Por que seus olhos não veem que diante delas o caminho é grandioso e que elas em si transportam mil garantias para a esperança da humanidade?

E tínhamos que pensar, então, na escola de onde vinham, porque a sentíamos sempre como uma sombra do passado, atrás dessas jovens sem fé.

Sabíamos que não vinham banhadas da vida que eterniza: porque elas tinham também aprendido a reverenciar o livro estéril. Os limites da sua liberdade circunscreviam-nos as linhas dos programas. O espírito do "saber" e do "viver", tinham-no herdado dos mestres, – não como criaturas humanas, mas como professores no alto de uma cátedra.

Quando apresentavam "experiências", eram de laboratório. Quando falavam em pedagogia, referiam-se ao tratado em que estudavam... Dois anos depois da Reforma de Ensino, nenhuma sabia o que isso queria dizer. E entravam para a carreira no ano imediato...

No entanto, é aí na Escola Normal que se precisa resolver o problema do mestre futuro. O presente nos está mostrando que ainda não temos mestres para o mestre.

Rio de Janeiro, *Diário de Notícias*, 8 de julho de 1930

Excessos de entusiasmo...

As questões de pedagogia precisam ser tratadas sempre com rigoroso critério, principalmente numa fase de adaptação como esta que atravessamos, a fim de se evitarem desastrosas consequências de observações mal encaminhadas, e resultados mal compreendidos.

Quem trabalha com essa honestidade profissional que lhe está sempre pondo em evidência o tamanho da sua responsabilidade sabe que educar é problema grave e difícil. Rainer Maria Rilke já o diz: "Educar? Quem pode pensar em semelhante coisa? Quem existe, no mundo, capaz de missão de tal ordem?" E, na verdade, o que fazemos são tentativas: tentativas para encaminhar as crianças, da sua condição de crianças à de homens, sem lhes perturbarmos as possibilidades, libertando-as todos os dias do jugo das circunstâncias que poderiam impedir uma perfeita evolução.

Por um conjunto de causas, dependentes dos próprios alunos, de nós mesmos ou do ambiente, as coisas se passam muito mais vagarosamente do que por certo todos desejariam, e do que se poderia superficialmente imaginar, dada a simplicidade aparente do tema. A educação elabora-se em silêncio, como a circulação de seiva nas plantas. Da multidão de práticas diárias, no convívio da escola e na vida, cada alma fixa uns certos elementos, apropria-se de uma certa quantidade. Nós mesmos, os professores, algumas vezes ficaremos sem saber quando estamos agindo mais intensamente sobre esta ou aquela vida em preparação. Daí, a necessidade constante de agir.

Mas, em alguns casos, sucede que o professor, por efeito do seu entusiasmo, acredita em resultados que apenas estão existindo, realmente, na sua imaginação. É o caso de muitos que se propuseram, como marco de uma etapa, fazer que os alunos consigam realizar uma certa coisa que, nas mesmas condições, realizaram os meninos de uma classe da Suíça ou da América...

E todos os seus esforços, então, convergem para esse fim. Chega à escola antes e sai depois da hora: mune-se de uma Kodak para surpreender os alunos em atividade, faz gráficos, estabelece fichas individuais etc.

Afinal, um belo dia lá consegue aquilo que imaginou como alvo supremo da pedagogia. E faz a sua autocelebração. A sua e a dos seus alunos. "Oh!

Que interesse! Que capacidade! Faz-se com eles o que se quer! Quem diria! Que coisa sutil a psicologia da criança!..." E assim por diante.

E se há, em torno, alguém com outras ideias mais justas, mais equilibradas – o que não há de ser difícil... – sofre um profundo choque com o contraste entre esses resultados altissonantes e as suas convicções íntimas e sérias...

Sofre esse contraste amargamente porque todos correm a proclamar o mérito do colega: desde o servente, que olha boquiaberto, até os pais dos alunos, encantados, e algumas "autoridades", também.

Que fazer, nessa hora de confusão?

Excessos de entusiasmo, sabemos. Desejo de ver praticamente demonstrada a eficiência da nova orientação educacional.

Mas, a bem dessa própria orientação, convém medir, com escrúpulo, cada atitude e cada afirmação. O professor que peca por um excesso de entusiasmo dessa natureza, além do mal que a si mesmo faz, sem o saber, e aos seus alunos, sem o querer, está desiludindo todos os professores bem-intencionados que, por agirem com outro critério, se sentem incompreendidos e apagados.

Convém, principalmente, que aqueles que julgam esses resultados, pelo fato de estarem numa situação hierárquica que torna quase infalíveis as suas conclusões, tenham, ao menos, noção da responsabilidade que decorre dos seus julgamentos. Que reflitam, antes de elogiar. E se não se acharem em condições de ver, compreender e opinar da forma precisa, justa, adequada, tenham o bom senso de se conservar em silêncio, ou o gesto heroico de renunciar ao lugar que ocupam...

Rio de Janeiro, *Diário de Notícias*, 24 de julho de 1930

Sacrifícios do educador

O verdadeiro educador, aquele que todos os dias está despertando em redor de si as íntimas possibilidades de vida que a infância resguarda, é uma criatura, por muitos motivos, destinada ao sacrifício, à renúncia constante de seus interesses imediatos. Não é dono de suas alegrias, de seu entusiasmo, da sua liberdade, esse que, no entanto, é, essencialmente, um fator de liberdade, entusiasmo e alegria.

Entre o educador e os seus discípulos existe um abismo que o tempo dia por dia alargou. Do lado de cá está o mundo dos adultos, com as suas preocupações, as suas exigências, todas as circunstâncias que gravitam em torno da maturidade. Para além, fica o mundo da infância, cuja realidade nada tem a ver com a sua, cujos interesses estão identificados com os seus habitantes, cujos motivos de vida estão velados por esse mistério infantil que, depois de atravessado, se vai fazendo cada vez mais incompreensível para os que seguiram adiante.

Por mais que se penetre pela intuição, o mundo perdido da infância, a verdade é que jamais se consegue ser outra vez senhor do seu domínio. Fica-se nos limites, observando e recordando: sente-se porém que se é estrangeiro, irremediavelmente.

Mas, ainda para tão pouco, é necessário possuir-se uma enorme força de desprendimento para se conseguir, todos os dias, calar a inquietação dos próprios interesses a fim de atender aos da criança, diversos, opostos, inconciliáveis com aqueles.

A infância pródiga desdobra sua energia a extremos tais que a plenitude de vida do adulto com dificuldade a pode acompanhar. A maturidade calma, plácida, vagarosa, comparada com a agitação turbulenta do mundo infantil. Não obstante, é preciso fazer afluir do mais profundo, da vontade, a capacidade de movimento, de dinamismo, de atividade exigida para um entendimento entre esses dois mundos antagônicos.

Quando a experiência do adulto lhe está sugerindo uma intervenção na espontaneidade da criança, também é preciso calcular sua natureza e proporções. E o escrúpulo de ferir, de perturbar, de desorientar põe algemas nas intenções do educador.

Até as boas coisas que povoam a mocidade não podem ir florescer lá na paisagem das crianças. Em vão o professor procuraria fazer entender aos seus pequenos discípulos o encanto das coisas que lhe comprazem.

A infância defende-se. Ela é uma forma própria de vida, com as suas características inconfundíveis e inalteráveis. Defende-se com a ausência de interesses pelos motivos que não a afetam.

E, desse modo, ao mesmo tempo que afasta qualquer tentativa de invasão no seu território, determina precisamente que atitudes devem assumir os que se desejam comunicar com ela.

O educador sacrifica todos os dias grandes porções de sua vida, para conquistar o bem, elevado mas árduo, de se aproximar dos seus alunos.

Todas as vidas se gastam por uma aspiração que as comanda. Nós vamos morrendo todos os dias um pouco, às ordens de uma orientação que aceitamos. Não é mesquinho nem triste morrer a serviço da infância, porque é trocar uma vida por vidas inúmeras, e abdicar da sua pequena felicidade pessoal pela esperança de uma felicidade unânime.

Rio de Janeiro, *Diário de Notícias*, 30 de julho de 1930

Medida de valores

Uma das principais qualidades do educador – e que determina todas as outras – é a sua capacidade de medir, com justeza, os valores que se lhe apresentam.

Uma das principais porque, em suma, a função do educador repousa na apreciação dos valores de vária espécie – morais, intelectuais, técnicos etc. – que se nos oferecem na vida, para efetuar a sua adequada aplicação ao problema educacional.

Sem nos perdermos em considerações que se elevem a aparências muito transcendentes, tomemos de perto um exemplo, que sirva de ponto de apoio à nossa afirmativa inicial.

Têm existido até, pela força de várias circunstâncias, professores – não educadores – capazes de aceitar as orientações emanadas dos chamados "superiores", respeitando-as simplesmente pela fonte da sua procedência.

Por mais que se queira ver em tais pessoas ótimos auxiliares, funcionários digníssimos, em razão, justamente, de sua obediência, – nunca os poderemos aceitar como educadores. Educador é aquele que está constantemente evoluindo, experimentando em si e em torno de si, todas as modificações que possam constituir um progresso, e que o faz, principalmente, com o fim de medir o valor de cada problema da humanidade, e conhecer o ambiente e o significado da sua tarefa pedagógica.

Sua visão do mundo, pois, não deve ser alterada por nenhuma refração devida a interesses de natureza estranha ao sentido essencial da educação.

É bom respeitar os superiores que nos são realmente superiores – pela quantidade e qualidade das suas experiências e das suas obras: não apenas pela sua situação hierárquica.

A medida do valor daqueles que formam o seu meio ambiente impõe-se ao educador como necessidade indispensável à sua própria função.

Por essa avaliação é que ele determinará as suas resoluções; por ela é que reconhecerá o que deve receber e o que deve rejeitar dos fenômenos que o afetam.

Do ponto de vista educacional, medem-se os indivíduos e os fatos conforme a sua projeção na humanidade.

Cálculo difícil, mas indispensável. Muitas aparências valiosas se revelam negativas à luz dessa medida. Muitas outras, à primeira vista, secundárias ou inoportunas, apresentam-se com imprevista grandeza quando apreciadas desse modo.

O educador não é o burocrata que vai à escola como a uma repartição, limita a sua atividade de funcionário a meia dúzia de horas diárias, e respeita o prestígio das autoridades: é a criatura construtora de liberdade e progresso harmoniosos, que, vivendo no presente, está sempre investigando o futuro, porque é nesse futuro, povoado de promessas de vida melhor, que o destino de seus discípulos se deverá realizar com toda a plenitude.

Rio de Janeiro, *Diário de Notícias*, 1º de agosto de 1930

Um livro-símbolo

O livro-símbolo é de Maria Dupont. Chama-se *Higiene da professora*. É um pequeno volume de 150 páginas, com pequenos capítulos, em linguagem fácil e sugestiva, sobre a higiene da habitação, do mobiliário, do vestuário, da alimentação etc.

Muitas dessas páginas, para as professoras brasileiras, teriam certo ar ingênuo, como os conselhos sobre a maneira de tomar banho, todos os dias, na banheira... É que, no tempo em que foram escritas, isso era uma inovação, e a autora, com finura, insinuava que esses aparelhos sanitários não deviam ser olhados como objetos de luxo... Maria Dupont não era ingênua: era, sim, uma excelente criatura, que desejou deixar para as suas colegas um punhado de sugestões capazes de lhes serem proveitosas e benéficas.

Seu livro aparece-nos como um símbolo justamente por esse sabor de afeição fraternal que ela soube deixar em cada página, e que se sente vindo do mais profundo do seu coração.

Pela despretensiosa simplicidade com que redigiu esses conselhos, pelo ideal que os orientou, ainda que não tivessem mais atualidade – o que não acontece – mereciam ser olhados por todas as professoras como uma oferta puríssima de quem soube ser solidária com as suas colegas, sofrendo os seus sofrimentos, e procurando fazê-los cessar com aquilo que estava ao seu alcance.

A origem deste livrinho foi a observação das doenças que afligem normalistas e professoras, em consequência da profissão que escolheram. Fadigas, nervosismo, debilidades, tudo Maria Dupont imaginou corrigir ou minorar por meio de uma higiene adequada, inteligente, eficiente. Fê-lo com modéstia. E ela, que assim queria preservar suas colegas de doenças e males, morreu quando acabava de redigir o livro. Não chegou a ver, sequer, a oferta, nas mãos daquelas a quem a destinava.

Prefaciando o volume, o dr. H. Surmont tem ocasião de dizer, comovidamente: "Como sempre, a autora, neste trabalho, obedecera à ideia que orientou todo o seu esforço no curso de uma brevíssima carreira: ser útil aos outros". E acrescenta: "Creio que o conseguiu".

Nós também o cremos. E não só pela obra em si. Mas pelo que ela contém de exemplo nobre e sincero. Porque as coisas que se fazem têm sempre outros valores além daquele que aparentam superficialmente. Podem, às vezes, ser valores negativos. Neste caso, são os mais positivos, os mais veementes, os mais dignificadores.

Na vida absorvente de professora, em que pensar nos alunos já é tarefa bem vasta – derramar o seu pensamento e o seu sentimento com abundância pela vida das suas colegas, querer dar-lhes calma e saúde, sonhando encaminhá-las, assim, para a felicidade é obra de espírito superior, que não se limitou em si mesmo, que tentou sempre chegar até mais alguém, e nesse desejo viveu e morreu.

E, porque todos os grandes desejos imortalizam, Maria Dupont viverá na memória das que lerem o seu livro ou souberem a sua história, com a presença permanente da sua bondade, bastante fecunda e inspiradora para se reproduzir e florescer, pelo tempo afora.

Rio de Janeiro, *Diário de Notícias*, 2 de agosto de 1930

Qualidades do professor [I]

Se há uma criatura que tenha necessidade de formar e manter constantemente firme uma personalidade segura e complexa, essa é o professor.

Destinado a pôr-se em contato com a infância e a adolescência, nas suas mais várias e incoerentes modalidades, tendo de compreender as inquietações da criança e do jovem, para bem os orientar e satisfazer sua vida, deve ser também um contínuo aperfeiçoamento, uma concentração permanente de energias que sirvam de base e assegurem a sua possibilidade, variando sobre si mesmo, chegar a apreender cada fenômeno circunstante, conciliando todos os desacordos aparentes, todas as variações humanas nessa visão total indispensável aos educadores.

É, certamente, uma grande obra chegar a consolidar-se numa personalidade assim. Ser ao mesmo tempo um resultado – como todos somos – da época, do meio, da família, com características próprias, enérgicas, pessoais, e poder ser o que é cada aluno, descer à sua alma, feita de mil complexidades, também, para se poder pôr em contato com ela, e estimular-lhe o poder vital e a capacidade de evolução.

E ter coração para se emocionar diante de cada temperamento.

E ter imaginação para sugerir.

E ter conhecimentos para enriquecer os caminhos transitados.

E saber ir e vir em redor desse mistério que existe em cada criatura, fornecendo-lhe cores luminosas para se definir, vibratilidades ardentes para se manifestar, força profunda para se erguer até o máximo, sem vacilações nem perigos.

Saber ser poeta para inspirar.

Quando a mocidade procura um rumo para a sua vida, leva consigo, no mais íntimo do peito, um exemplo guardado, que lhe serve de ideal.

Quantas vezes, entre esse ideal e o professor, se abrem enormes precipícios, de onde se originam os mais tristes desenganos e as dúvidas mais dolorosas!

Como seria admirável se o professor pudesse ser tão perfeito que constituísse, ele mesmo, o exemplo amado de seus alunos!

E, depois de ter vivido diante dos seus olhos, dirigindo uma classe, pudesse morar para sempre na sua vida, orientando-a e fortalecendo-a com a inesgotável fecundidade da sua recordação.

Uma circular do diretor de Instrução Pública de São Paulo:

São Paulo, 9 (A.B.) – Em circular dirigida pelo diretor de Instrução Pública, no início do segundo semestre letivo, a autoridades do ensino no estado, solicitou aquele diretor dos professores providências no sentido de serem aumentadas as matrículas nas escolas e de se conseguir maior número de alfabetizações, devendo agir as autoridades do ensino com o mesmo empenho, a fim de conseguir, pela eficiência do ensino, porcentagem maior de promoções.

Rio de Janeiro, *Diário de Notícias*, 10 de agosto de 1930

Lição de história do Brasil

Não sabemos se esta coluna tem leitores. Em todo caso, de vez em quando procuramos quebrar a monotonia dos temas difíceis contando dessas anedotas pedagógicas de que todos nós, professores, possuímos coleção mais ou menos vasta.

A anedota pedagógica tem o extraordinário valor de frisar certos aspectos ridículos do ensino sem magoar ninguém, porque em geral é tão leve que não chega a machucar. Apenas sublinha... As pessoas inteligentes compreendem-na. As outras – mas onde é que estão as que não se acreditam inteligentes?... – as outras riem, apenas, pensam que se trata de uma brincadeira, e passam adiante. Por isso é que são perigosas tais pessoas. Perdem a melhor oportunidade de aprender uma coisa sem esforço...

Mas vamos à lição de história do Brasil.

– Quem foi que descobriu o Brasil? – perguntou a professora, inimiga irreconciliável da Escola Nova.

– Não sei, não, senhora...

– Como é que não sabe? Como foi descoberto o Brasil?

– Ah! "O almirante português Pedro Álvares Cabral, navegando um dia para o Oriente com a sua frota, afastou-se das costas da África, onde diziam reinar calmaria, e assim chegou a uma terra desconhecida, habitada por homens nus..."

– Recitaria todo o livro...

– Muito bem – interrompeu a professora, triunfalmente. – É isso mesmo. Agora, diga-me: "Quem foi, então, que descobriu o Brasil?"

E o mesmo aluno, convictamente:

– Não sei, não, senhora...

Nem poderia nunca chegar e saber, está claro, por esse processo...

Esta anedota é autêntica. Tão autêntica quanto aquela outra, sobre o mesmo assunto, em que, neste ponto, justamente, o inspetor escolar intervém, e diz à professora, com bondade, pondo a mão em concha diante da boca:

– Não se zangue com o menino, minha senhora... Está-se vendo que foi ele mesmo... Mas tem medo que se saiba...

A diferença é que esta última – dizem-no, pelo menos... – não se passou no Brasil...

Rio de Janeiro, *Diário de Notícias*, 15 de agosto de 1930

Qualidades do professor [II]

Como estamos numa época de transição, em que não se distinguem ainda nitidamente os problemas educacionais nem o valor dos indivíduos chamados a resolvê-los, acontece confundirem-se também as suas qualidades, pela falta de um ponto de vista seguro e isento.

Infelizmente, o gênero *profiteur* também existe no terreno educacional, como em todos os outros, e é fácil encontrarem-se criaturas que, de uma hora para outra, se supõem dotadas de talentos especiais para essa grave função de educar, uma das mais graves, talvez, que se nos oferecem na vida.

Surge, então, a enumeração sensacional das suas próprias qualidades: são os eruditos; são os "habituados"; são os "jeitosos"...

Como é lamentável esse conceito que a respeito de si mesmos formam e proclamam aqueles que veem no cargo de professor um meio honesto, apenas, de ganhar a vida. De ganhar a vida: de ganhar dinheiro. Há os que até inocentemente o confessam: "Ah!... eu, por mim, o que desejo é receber os vencimentos no fim do mês..."

Como seria possível esclarecer os que assim pensam, chamar-lhes a atenção para as consequências desastrosas do seu interesse e do seu egoísmo?

Porque tudo que repousa em vaidade, ambição e cálculo está completamente errado, em matéria de educação.

Não é o que sabe muita coisa (e em geral dizem-no mais do que o sabem...) o que serve para professor, – mas o que sabe "certas coisas e de certo modo".

Há uma quantidade infinita de coisas inúteis para a vida: o professor deve tê-las à margem. Mas há uma porção de coisas essenciais para a formação humana: o professor deve conhecê-las todas, praticá-las, integrá-las, em si, vivê-las!

Quem nos mostra meia dúzia de exemplos verídicos desses, entre as criaturas que pretendem ser capazes de educar?

Os "habituados" e os "jeitosos" merecem ser tratados com desconfiança. Não nos esqueçamos de que estamos vindo de uma época perfeitamente contrária à que se inicia. Está claro, pois, que os que foram julgados bons professores dentro do regime antigo são suspeitos, presentemente.

Os que pensam em dinheiro não são dignos, sequer, de comentário. Porque o educador verdadeiro deve ser um tipo de renúncia constante: renúncia até em questões mais altas e sutis que essa do "pão nosso de cada dia".

Mas quem vê todas essas coisas? Quem as orienta? Quem as vigia?

Porque é preciso vê-las, orientá-las e vigiá-las.

Estamos carecendo de educadores, de apóstolos de idealismo, de formadores de personalidades. Mas nas horas de carências dessas costumam aparecer elementos artificiais, hábeis, venais, que escolhem lugares de professor por interesses inteiramente alheios ao problema profundo da educação, que não conhecem nem estudam.

E há também os que o fazem pela aspiração a um título de glória.

Triste vaidade a dos homens insensatos que supõem que a glória se captura com estratagemas, e imaginam que pode ter duração aquilo que está baseado em manha e hipocrisia!

Rio de Janeiro, *Diário de Notícias*, 16 de agosto de 1930

Desarmonia do ambiente

Enquanto a escola primária passa pelas transformações que lhe ditou a reforma do atual diretor-geral de Instrução Pública, em que situação se colocam os outros graus de ensino?

Eis uma pergunta de importância bem alta, porque a ela está ligada toda a evolução harmoniosa do progresso de um povo que já teve a sorte de possuir quem lhe mostrasse um caminho sério a seguir para a sua ampla realização – o caminho governado pelos educadores.

Acima da escola primária está a Escola Normal, onde se formam os professores que vêm, depois, lidar com as crianças. Qual é a situação da Escola Normal, em relação à reforma vigente?

E, para além da Escola Normal, estão o ensino secundário e o superior, que é necessário considerar com atenção, em lugar de apressadamente os colocar à margem, no exame do problema geral.

Como esperar, na realidade, vida sólida para a escola primária, transformada pela reforma, se, para a dirigirem, vierem, futuramente, da Escola Normal, elementos mal encaminhados ou despreocupados pela verdadeira intenção pedagógica, que todos os dias se revela tão mal compreendida?

Porque a verdade é esta, bem clara e indiscutível: a Escola Normal ainda não possui professores integrados no espírito da Reforma do Distrito Federal, nem da Escola Moderna, tal como a constroem, neste momento, todos os grandes nomes da pedagogia, da psicologia, da sociologia, da filosofia, em todas as partes do mundo.

Não quer isso dizer que tenha ela maus professores. Não. Possui-os cultos, eruditos, sábios, inteligentes. Mas inadaptados às condições atuais do ensino. E, por esse motivo, todas as suas qualidades se tornam deficientes. Porque o professor de que se necessita é de outro tipo. E não percam tempo em sofismar sobre isso os mal-intencionados ou pouco entendidos no assunto, porque o tipo necessário não é fantástico nem inexistente: está perfeitamente estudado e definido pelos que estão de posse do segredo da arte de educar.

E o ensino secundário e o superior, que têm a ver com isso? Oh! têm muitíssimo a ver... São justamente esses bacharéis e doutores que vêm de um ou de outro, os que, neste momento, constituem as sumidades que julgam, opinam e intervêm diretamente na Escola Normal. São, na maioria, esses os seus catedráticos. Pessoas cultas que se distinguiram naqueles cursos, e, depois, por nomeação ou concurso, dentro de limites que, antes da reforma, não se definiam bem, chegaram ao lugar de mestres de futuros mestres.

Mas como se pode ser mestre de mestre que não se foi? Como ensinar alguém a realizar o que não realizamos? Como conhecer o problema da escola primária, quando se vem do Colégio Pedro II ou da Faculdade de Medicina? E quando nem sequer se justificou essa atitude por um estudo sério do assunto?

Há, neste momento, uma lamentável confusão em todo este terreno pedagógico, tão oportunamente revolvido pela reforma.

Acreditamos que essa confusão seja passageira. Porque acreditamos no poder triunfante das grandes obras. Porque sentimos que há determinações inflexíveis no destino dos povos, como no dos indivíduos. Sem fatalismo: por uma sucessão natural de acontecimentos.

Nem é por outro motivo que escrevemos estas linhas: fazemo-lo, decerto, mais do que pela nossa vontade, arrastados pela correnteza da época.

Diante da obra magnífica de reabilitação do ensino primário, que entre nós se opera, seria confrangedor que o problema do ensino secundário e superior, em lugar de ter – bem como o do ensino normal – uma solução inteligente, acertada, honrosa, descaísse desamparado, flutuando à mercê dos interesses de segunda ordem que, até aqui, geralmente, os têm governado.

Seria a traição da obra que empreendeu o diretor-geral de Instrução Pública.

Nós o consideramos, no entanto, bastante esclarecido para zelar, com o cuidado que merecem, os problemas que gravitam em redor do seu brilhante empreendimento, com risco permanente de o perturbarem, senão de o inutilizarem.

Rio de Janeiro, *Diário de Notícias*, 17 de agosto de 1930

Aulas de normalistas

Quem desejar conhecer a influência e a orientação que as normalistas recebem na Escola Normal deve assistir a uma das suas aulas de prática escolar na Escola de Aplicação.

Todos sabem que a Escola de Aplicação é uma escola primária modelo, cujo pessoal, selecionado pela capacidade demonstrada nas notas obtidas no seu curso normal, está constantemente observando e experimentando os mais recentes métodos pedagógicos, acompanhando o movimento da educação em todas as partes do mundo, e colhendo das suas investigações e experiências a fórmula adequada a resolver o problema brasileiro do ensino.

As normalistas, chegando ao último ano do curso, frequentam a Escola de Aplicação, pondo-se em contato com o ambiente escolar e fazendo a sua prática de professoras com várias turmas de alunos.

A primeira coisa que se observa, assistindo a essa prática, é a surpresa com que as jovens normalistas defrontam a infância que ansiosamente as ouve.

Sua primeira manifestação é de espanto e susto. Não sabem por onde começar. O que dizer. Com que palavras. De que maneira. Titubeiam, hesitam, atrapalham-se.

As mais felizes, depois de terem preparado suas aulas com enorme custo, e seguindo os esclarecimentos das professoras, insinuam, com uma certa vivacidade de memória, apenas, as noções que levaram preparadas, – mecanicamente, com perguntas fora de propósito, para animar a cena: "E depois?", "Que é que vocês acham?", "Pois não é isso mesmo?", "Hein?", "E então?".

Falta-lhes naturalidade. Falta-lhes esse encanto da verdade vivida. Essa luz das ideias que se sucedem quando o espírito está tranquilo, repousa em si mesmo, sabe o que quer, para onde vai, e como quer e convém ir.

E, porque lhes faltam essas coisas tão simples, que lhes parecem dificílimas, inacessíveis, quando se lhes recomenda:

> Não procurem tirar efeitos, na sua aula. Sejam como uma criatura humana, entre criaturas humanas. Pensem, apenas, nisso: que se vão pôr em comunicação com crianças. Procurem sentir-lhes a alma. Tocar-lhas.

> E deem-se. Deem-se em espírito. O método é esse. Quando a comunicação se estabelecer, saberão logo o que podem transmitir, e o que não podem. Terão ideia da proporção e da harmonia...

Mas as pobres moças não compreendem todo esse discurso.

Ali está, diante delas, um grupo de crianças de largos olhos curiosos, esperando-as. Como uma coleção de esfinges. E muito mais terríveis que as lendárias, porque têm mais perguntas, e só entendem certas respostas...

Ninguém lhes disse, antes que chegassem ali à escola, como era a alma complexa, múltipla, encantadora, da infância. Ninguém lhes ensinou a procurá-la com carinho e a encontrá-la com delícia.

Estão diante de enormes enigmas. Pode ser que saibam muita coisa. Mas inutilmente o sabem, porque não podem alcançar as crianças que estão na sua frente. E o professor é exclusivamente isto: alguém que pode viajar e povoar as almas alheias...

Que lhes valeu todo o curso que fizeram durante longos anos? Em vão leram livros copiosos, beberam a caudalosa erudição dos catedráticos imponentes, como oradores parlamentares, fizeram provas escritas de inúmeras laudas, com letra miúda... Palavras, palavras, palavras que o vento levou...

Esta realidade é de outra espécie. Esta realidade exige, antes de tudo, um espírito vivo, de criação contínua; uma sensibilidade especial; uma emoção sempre nova...

Infelizmente, isso não lhes ensinaram...

As aulas de psicologia ficaram geladas nos livros; as de pedagogia fecharam-se nas caixas de jogos (quando, porventura, lhes mostraram...); as outras não levaram em si nenhum gérmen dessas duas, que são, no entanto, as indispensáveis a quem vai ser professor...

Pobres alunas que não tiveram quem as orientasse a tempo! Depois de tanto trabalho, terão de fazer por si mesmas, e com enorme esforço, aguilhoadas pela pressa de quem já está no quadro do magistério, toda a cultura técnica que ninguém pensou ou lhes pôde fornecer no momento devido.

Rio de Janeiro, *Diário de Notícias*, 19 de agosto de 1930

Como se distingue o educador

Não há nada como um obstáculo na vida para revelar a têmpera das criaturas.

Quando a vida nos vai correndo normalmente, como um rio que resvala pelas pedras, e as nossas ambições e os nossos desejos podem ir para a frente, ao sabor da correnteza, somos, em geral, otimistas, generosos, bons e corteses.

Nem tudo, na vida, porém, é facilidade. Em todos os destinos há, lá um dia, uma rocha, que é preciso galgar.

Nesse momento se revelam as criaturas tal qual são. Com seus sentimentos de coragem, de heroísmo, de sacrifício, de resignação, de vaidade, de ódio...

Vem-nos à tona toda essa complexidade que somos, essa mescla de séculos, de raças, de tendências que se debate no fundo da nossa subconsciência.

E instantaneamente a criatura grava na sensibilidade dos que a observam, com traços perduráveis e nítidos, a fisionomia interior que possuía, sem que talvez ela mesma ainda a tivesse percebido...

Nisso se distingue o homem, perfeitamente educado, do que não o é.

O primeiro, diante de cada vicissitude, procura absorvê-la, compreendê-la, aceitá-la com a mesma simpatia, com que acolheria uma oferta agradável. Pesquisa-lhe o gosto de amargura e com serenidade o mantém nos lábios, até que eles se divinizem bastante para lhe suportarem o travo, sem crispação.

O outro... ah! dispensai-me de fazer o retrato do homem que ainda não é bastante forte, bastante grande, bastante digno da sua condição de homem para poder receber nobremente um sofrimento – esse tributo da nossa própria evolução!

Ora, se há oportunidade para se conhecer com interesse a alma humana, é quando se procura estudar as qualidades do educador.

A que tipo, dos dois indicados, deve pertencer aquele que se destina a orientar discípulos?

A resposta vem por si.

Porque todos têm de reconhecer que, se há uma coisa necessária a quem vai educar, essa é, sem dúvida, ser educado, primeiro...

Rio de Janeiro, *Diário de Notícias*, 22 de agosto de 1930

Formação do professor [I]

Quando tanto se fala da formação do aluno, é justo cogitar também, com interesse, da formação do professor.

Em primeiro lugar, há que compreender essa palavra "formação", em toda a sua amplitude. Formação cultural, formação técnica, – mas, acima de tudo, – formação da personalidade, constituição do caráter.

A primeira coisa que empolga o aluno, quando posto em contato com o professor, é o prestígio moral que deste irradia. Esse prestígio determina imediata e definitivamente a sua autoridade, isto é, a sua possibilidade de conduzir com doçura e entusiasmo as vidas que lhe são entregues.

A criança e o adolescente observam muitíssimo mais do que se pode, à primeira vista, imaginar. E a sua aptidão para julgar não só é clara como norteada por uma visão segura e séria – visão de quem ainda não está corrompido por certas imposições do mundo...

Professor que não aparece diante de seus alunos com uma auréola de pureza e respeito perenemente luminosa não deve ter a esperança de influir beneficamente no seu destino.

A infância e a mocidade têm lábios sequiosos de realidades perfeitas. Procuram-nas em redor de si com a curiosidade cheia de aflição de quem aspira a certeza de que a vida merece ser vivida.

Que desencanto o do aluno que se aproximou do mestre com a ansiosa sinceridade de se entregar a uma superior afeição, capaz de pairar sobre a sua inquietude como um halo de inspiração para o seu destino, e dele se desiludiu, depois, conhecendo as impurezas que dentro dele habitavam.

Vai nessa desilusão um poder de graça igual ao de uma ruína.

E quantas infâncias e juventudes estão por aí sob escombros, porque delas se avizinhou, certo dia, um professor que não estava suficientemente preparado, na sua personalidade, para as orientar.

Há criaturas que têm várias máscaras, e as substituem umas pelas outras, conforme a situação que devem enfrentar: os que são submissos e tirânicos, segundo tratam, respectivamente, com superiores ou subalternos. Os que sabem emprestar à verdade múltiplas formas, de acordo com o proveito que dela pretendem tirar. Os que mudam o rumo do pensamento a fim de poderem agradar àqueles de que dependem. Os que se valem do elogio e da ofensa como armas para abrirem facilmente o caminho ambicionado. Os que não podem ter, seguidamente, duas opiniões coerentes, porque são escravos de seus interesses, e estes é que lhes determinam as atitudes, os gestos, as palavras.

Miseras criaturas! Elas mesmas não sabem quem são. Embora se apregoem com referências próprias geralmente muito honrosas...

Quem são elas, na verdade, se, a cada instante, estão na contingência de se reformarem?

Se até aqui tudo isso, embora conhecido e reprovado, não estava, ainda, banido da escola, pela pequena atenção que se dava ao problema do mestre, bem como ao do aluno, agora que a educação passa, entre nós, por modificações que nos fazem crer num futuro prodigioso, aqueles que se revelam doentes da personalidade deverão ser cuidadosamente excluídos da função de professores, que, antes de tudo, exige perfeita saúde moral.

Rio de Janeiro, *Diário de Notícias*, 24 de agosto de 1930

Professores e anúncios...

A notícia de ter sido destituído de seu cargo um regente de colégio secundário, por publicar anúncios garantindo a aprovação de seus alunos, aparece como inacreditável novidade em nossas tradições escolares.

Porque, afinal, garantir a aprovação de um aluno pode não constituir nenhuma irregularidade, e ser, apenas, uma sincera e ingênua confissão da capacidade insofismável do professor... Pode ser convicção do próprio talento pedagógico. Pode ser absoluta confiança numa aptidão, muito preciosa, de conseguir transmitir aos estudantes aquilo de que carecem para se elevarem de um ano a outro do curso.

Professor que assim anuncia parece-me que não devia ser suspeito quanto aos seus processos. Nessa mesma franqueza dos seus anúncios já se sente a inocência do seu procedimento... É como a simples exteriorização do juízo que forma a respeito de si mesmo.

Se refletirmos um pouco, teremos de reconhecer que há professores que, sem anúncios, embora, são muito mais prejudiciais ao ensino e à moral dos exames e concursos – que, afinal de contas, é a própria moral de um povo...

E não só são mais prejudiciais como ganham muito mais sem anunciar. Uns ganham diretamente, em papel-moeda – são os de resoluções inadiáveis, que não conhecem, sequer, a elementar virtude de esperar...

Outros, mais elegantes, ganham à devida distância, – cargos, situações políticas, vantagens sociais... Os mais idealistas, – prestígio...

Ah! se pudéssemos reconhecer e destituir todos esses colegas do ingênuo anunciante...

... E teríamos de agir com infinitas precauções, para não causar demasiado abalo à estatística do magistério, principalmente do que não é primário...

Rio de Janeiro, *Diário de Notícias*, 4 de setembro de 1930

História do Brasil

A observação que nos fez um pai, sobre o invencível desinteresse de seus filhos por assuntos de história do Brasil, levou-nos a pensar naqueles nossos tempos, em que tínhamos de decorar tantas linhas, por dia, das "Expedições exploradoras", ou da "Primeira guerra holandesa"...

Dançaram diante dos nossos olhos os espectros das datas mumificadas nos seus quatro algarismos.

Que nos queriam [dizer] aquelas datas? E que tinha conosco aquela gente que se movia em cenários que não adivinhávamos, entre coisas já realizadas, já resolvidas sem a nossa intervenção, alheias à nossa vontade?

Oh! o tédio formidável das velhas aulas de história do Brasil!

Mas, logo em seguida, refletimos: atualmente há uma Reforma de Ensino. O professorado sabe disso... Trabalha nisso. E se uma reforma escrita tem, apenas, a importância de um belo projeto, esta reforma que os professores vêm alentando com a maior boa vontade, que, apesar de todos os contratempos, nutrem todos os dias com a sua inteligência e o seu esforço, é já uma realidade viva e forte, que alterou todo o ambiente escolar, substituindo os motivos de desgostos da velha escola, pelos estímulos repletos de alegria da pedagogia atual.

No entanto, ali estava um pai que dizia, e dizia insistentemente: "Meus filhos não gostam de assuntos de história do Brasil..."

E tivemos de fazer-lhe a única pergunta capaz de esclarecer o caso: "Como é ensinada a história do Brasil a seus filhos?"

Vieram os títulos dos livros e os nomes dos autores. Veio o nome da professora, e o ponto do programa em que se encontra a classe. "Mas de que maneira se põem essas crianças em contato com a história do Brasil?" Isso é o que desejávamos saber.

E tivemos a seguinte surpresa: a professora ainda marcava no livro as lições, e os alunos ainda tinham de decorar personagens e datas... E as lições se iam amontoando umas sobre as outras, com o correr dos dias, todas igualmente por saber, e deixando no seu caminho um profundo sulco de aborrecimento...

Tornamos a recordar nossos velhos tempos...

Parecíamos ouvir uma voz de antigamente perguntar: "Quem foi o primeiro donatário da capitania de...?"

E tivemos de conversar longamente sobre a linda maneira de interessar as crianças com esses assuntos que podem ser maravilhosamente poetizados, sem nenhum prejuízo histórico... Falamos das gravuras, com o seu prestígio da época... Dos museus, onde cada objeto é um pedaço sobrevivente dos tempos que passaram... Dos versos que por aí andam, recordando fatos que é preciso conhecer... Dos álbuns que se organizam em classe, refletindo todas essas coisas, já familiares, por uma observação tanto quanto possível objetiva... Das lanternas de projeção fixa, que sugerem com a sua magia de pequeno cinema cenas que as crianças alegremente colecionaram ou desenharam... E as datas cívicas firmando os pontos principais da história brasileira, com todo o noticiário dos jornais cortado e comentado em classe...

Com todos esses recursos, não há nenhuma criança que não se interesse pelo assunto...

Porque o ensino tem de ser assim "vivido", para produzir resultados sérios... O tempo dos quadros sinópticos, das biografias e dos discursos já vai muito longe, para felicidade das gerações de agora...

... Das gerações que estão dependendo do magistério renovado que conhece todas essas coisas e as pratica...

Rio de Janeiro, *Diário de Notícias*, 12 de setembro de 1930

A futura Escola Normal

A nossa Escola Normal, para a qual a boa vontade da presente administração conseguiu elevar uma tão suntuosa edificação, parece estar ameaçada de vir a abrigar no seu solene recinto todos os adversários da Escola Nova, instituída pela mesma reforma que a criou.

Aqueles que estão a par do atual movimento pedagógico bem sabem que a Nova Educação, que se vem estabelecendo em todo o mundo moderno, e que entre nós se exprime pela reforma do dr. Fernando de Azevedo, não poderá vir a ser posta em prática eficientemente se, *pari passu*, não for acompanhada da necessária transformação da Escola Normal, permitindo a formação adequada de professores para o novo regime.

A tempos novos, critérios novos. A parte da congregação da Escola Normal que subsiste do antigo regime certamente receberá, das autoridades competentes, instruções especiais para se pôr à altura das funções que lhe competem. E, sobre isso, está na sua feição moral agir desta ou daquela maneira, incorrendo ou não nas devidas censuras administrativas.

O que não admite dúvidas é que os catedráticos que estão sendo agora nomeados para a Escola Normal deviam já ser recebidos em concurso com particular atenção, prestando exame não só da especialidade a que se refira a cadeira como também demonstrando, praticamente, a sua *capacidade moderna* de a reger.

O concurso de literatura ultimamente realizado deixou a Reforma Fernando de Azevedo em muito má situação, ameaçada de continuar a ficar sem professores, na Escola Normal, perfeitamente conhecedores das necessidades da escola primária e da sua conveniente atuação como professores de futuros professores.

O problema da Escola Normal e o da escola primária são o mesmo. A Escola Normal não é um instituto de ensino secundário: é um instituto técnico. Obedece a intenções especiais. E por esse motivo é que, nos países que se estão preocupando mais intensamente com o problema da formação do professor, o corpo docente das escolas normais provém da especialização de elementos do ensino primário.

Depois da desorientação mal-intencionada do concurso de literatura, em que os próprios examinadores, dos quais só um pertencia, aliás, à Escola Normal, deram as mais robustas provas da sua completa ignorância de pedagogia de qualquer espécie, – o concurso de sociologia (cujo mecanismo interno já começa a aparecer) será outra oportunidade para se avaliar o destino que vai ter, afinal, a nossa magnífica Reforma de Ensino.

Já começaram as discussões sobre a mesa organizada. E muito a propósito. Porque os representantes da Igreja, que dela fazem parte, não poderão jamais, pela própria dignidade do seu cargo, *deixar a batina à porta*, como já se disse.

Está no seu interesse e na sua obrigação religiosa defender o seu credo. E na sua opinião, fazem, decerto, muitíssimo bem. Mas a opinião dos educadores é outra. E essa é que tem de ser respeitada, porque a Escola Normal é um instituto pedagógico e não um seminário.

Se a Reforma Fernando de Azevedo pretende, realmente, afirmar a sua vitalidade, está na obrigação de velar, desde já, pela moralidade deste concurso, a fim de que não se repita o caso vergonhoso do de literatura.

O diretor de Instrução deve saber, aliás, que, desta vez, é candidato alguém que dá outra foi examinador. Como examinador mostrou-se inteiramente alheio aos assuntos de educação. Nem sequer pode admitir espiritualidade na terra "enquanto existirem escolas laicas!...". Assim o disse, arguindo um candidato.

Com que isenção de ânimo poderá vir a ensinar sociologia quem, numa arguição, se revela tão incapaz de considerar o problema do ensino dentro dos limites que a Nova Educação lhe prescreve?

Há pequenas frases que valem por uma profissão de fé. Aliás, a profissão de fé, no caso, não dependia já da pequena frase.

Mas os que educam, verdadeiramente, os que estão no movimento pedagógico, não por política, não por interesse, não por esperar conveniências de qualquer espécie, mas por devotamento à criança, preservando-a dos preconceitos e das deformações que lhe queiram imprimir, esses vão esperar o desfecho desta cena, com todas as suas premeditações, para, afinal, ficarem sabendo qual é o ponto de vista do diretor de Instrução, e que solidariedade dá à sua própria reforma.

Rio de Janeiro, *Diário de Notícias*, 21 de setembro de 1930

A consciência dos educadores

Interessa saber o estado de consciência dos educadores.

Se estão acordados no seu posto. Se estão vigilantes. Se sabem, com certeza, o que têm a fazer. (Porque também se pode admitir, entre as decadências humanas, que um educador passe por qualquer lapso de consciência.)

Interessa saber, entre os que dirigem a infância, como contemplam todos os dias o que fizeram, depois das suas horas de trabalho. Que sensação lhes vem dos próprios atos. Em que condições se encontram, no seu íntimo apreço. Como se refletem, na sua própria lembrança, pensando o que disseram, o que fizeram, o que deram ou tiraram a esse mundo maravilhoso e frágil da infância.

Interessa saber se estão sem culpas e sem arrependimentos. Se não traíram sua responsabilidade. Se não imprimiram na alma das crianças alguma dessas máculas graves ou tênues que o mundo dos adultos muitas vezes não tem possibilidade de apagar.

Convém não fiar muito do que se é no conceito dos nossos companheiros do mesmo meio e da mesma idade. É necessário considerar principalmente o que podemos ser, vistos pelos olhos da infância, límpidos e claros.

O educador não tem o direito de se pertencer. Sua profissão é de exemplo. Nada lhe adianta dizer coisas sonoras, fazer propagandas idealistas, recitar frases alvissareiras...

Interessa saber se ele relembra tudo isso, diariamente. Se o pratica.

A exortação de Anatole: "Só podem tocar na infância os que estiverem com as mãos puras!" desdobra-se subjetivamente: "Só pode tocar na infância o que estiver espiritualmente puro!"

Não importa que essa exortação tenha saído de lábios que muitas vezes destilaram finíssimos venenos. Há os que vêm para cumprir; mas há, também, os que vêm apenas para inspirar. Estes podem viver somente um instante: o minuto necessário para sugerir. Os outros, que existem para realizar, têm diante de si um cenário constante, onde a sua permanência é um contrato grave e duradouro com o futuro.

Os educadores que estão propriamente ligados à infância, pelo compromisso de uma função, pertencem a este número.

E esses é que precisam consultar todos os dias a sua sensibilidade profunda, essa que nos diz sem hesitações, sem receios, sem meias palavras aquilo que realmente fomos e estamos sendo.

Não há erro, proveniente de acaso ou malícia, que resista a essa análise interior.

Nós sabemos sempre como e por que tomamos esta ou aquela atitude.

Interessa que o educador saiba se as suas atitudes, para com a infância, vêm do seu amor por ela ou do seu amor por si. Interessa também saber se ele a serve ou se a põe a seu serviço. Interessa, principalmente, saber se o faz propositadamente ou por descuido; se agindo de boa ou de má-fé; se obedecendo, se mandando; se espontaneamente ou coagido.

– Mas, então, podem existir *educadores* com práticas semelhantes?

– A natureza humana sucumbe facilmente. Há interesses que se chamam vitais, capazes de empanar de repente um ideal.

Há lapsos, às vezes... E há tanta complexidade em conflito, na vida...

Interessa que o educador se incline sobre a sua memória. Que reconsidere o que haja feito. E que tenha essa generosa coragem de se corrigir, ou, se vir a culpa sem remédio, a de renunciar ao seu posto.

Porque educar não é governar. Porque a criança não é um servo. Porque a vida humana não é propriedade alheia, – essa bela vida sem limites e sem definição que os próprios donos, e só eles, têm o direito de possuir, de dirigir, de encaminhar, na sua ânsia contínua de perfeição através suas lutas, suas experiências, seus sofrimentos, mas em estado constante de liberdade.

Rio de Janeiro, *Diário de Notícias*, 1º de outubro de 1930

As qualidades do educador

A alma dos homens tem, frequentemente, uma data diversa da do século.

Se contemplarmos com atenção as criaturas, na sua atividade normal, desde logo nos encontramos com inúmeros representantes de um imóvel passado, herdeiros de todos os preconceitos de uma determinada época, empenhados em transmiti-los intactos às gerações seguintes, sem pensarem, jamais, na conveniência ou inconveniência de semelhante herança.

Por outro lado, existem, também, os detentores de uma inquietude nova, inadaptáveis ao meio e ao tempo em que atuam, semeadores arrojados de um futuro que eles mesmos raramente chegam a conhecer, precursores de épocas sentidas e vividas apenas pela antecipação do sonho, e através de todos os sofrimentos decorrentes de uma tal condição.

A qual, desses dois grupos, em que se divide o mundo, deve pertencer o educador?

Sua função determina que seja ao segundo.

Pois não é ele o orientador de criaturas que vão chegar à plenitude, e realizar sua vida num tempo que não é mais o atual?

Não as está ele preparando para um ambiente distante, que não sabe ainda qual seja – dentro dos seus princípios de total isenção – mas que, forçosamente, terá de ser diverso do presente, como este o é de outros que já desapareceram?

Um atraso na cultura, um esquecimento de observação, um descuido na avaliação das coisas conduzem o educador a erros incorrigíveis, que inutilizam a sua possibilidade de influir favoravelmente na formação de seus discípulos, e, portanto, destroem o próprio sentido da sua obra.

Todos sabem que é difícil esse contínuo buscar, esse constante aprender. Mas ninguém afirmou nunca ser fácil a função de mestre, e é de desejar também que ninguém a tenha escolhido por uma aspiração de entorpecimento espiritual.

Se a vida é uma renovação de todos os dias, é natural seja uma evolução ininterrupta a existência daqueles que justamente a vão dirigir.

E não só nessa transformação intelectual de cultura reside a obrigação de atualidade do educador. Há que atender à ética do tempo, e à fisionomia dos fenômenos sociais.

No espírito do educador, tudo deve estar previsto: ele deve participar do amanhã de seus discípulos, mediante a sua boa vontade e a sua orientação.

Nada lhe deve ser estranho, de quanto, por acaso, pareça bom ou não, útil ou inútil aos outros observadores. Deve estar preparado de tal modo que saiba sair do seu ambiente e dos seus interesses, situando-se como responsável do futuro que alimenta.

Pode, nessas condições, ser o educador um homem enraizado aos conceitos de tempos extintos? Pode ser um embalsamador de ideais inadequados, um perturbador de aspirações falidas? Ou deve ser um homem liberto dos preconceitos e atitudes, decorrentes de interesses que não prevalecem e finalidades que não subsistem?

Em qualquer outra criatura, um ponto de vista anacrônico representa sempre um perigo, para a prática de qualquer ato. Porque do golpe de vista depende sempre o êxito de qualquer aventura.

Mas, quando se trata do educador, o caso se torna infinitamente mais grave, porque a sua aventura é formar indivíduos. E um erro, numa formação dessas, tem consequências na humanidade inteira, e repercussão pelo tempo sem fim.

Rio de Janeiro, *Diário de Notícias*, 18 de outubro de 1930

A esperança dos educadores

Os educadores são donos de uma infinita esperança.

As bruscas realidades que imprimiram à sua função um ritmo novo não foram forças superficiais, cujos efeitos se limitassem a uma substituição de aparências. Não. O que se transformou, nos educadores, foi a sua natureza profunda. Por muito tempo, houve em cada professor um burocrata acurvado a um programa, sugestionando-se, diariamente, com o conceito de um cargo a desempenhar – não por se sentir impregnado de aspirações e impelido para uma finalidade, mas porque se fazia mister cumprir, metodicamente, as exigências de uma profissão.

O educador de agora sentiu acordar em si e acordada manteve a sua qualidade humana. Essa é a grande diferença.

Qualquer que seja a atuação que exerçamos no mundo, estamos destinados a nos converter em autômatos, se todos os dias não fecundarmos o nosso trabalho com a lembrança de que, antes de tudo, somos criaturas humanas. O mais é secundário. Vem como consequência da nossa ubiquação no mundo. O que não podemos perder de vista sem graves inconvenientes é a sensação de que somos, de que estamos vivendo: e, o que é mais, de que conosco há todos os outros, que igualmente vivem, que igualmente são.

Houve quem nunca perdesse isso de sentido. Quem sempre estivesse em si e em outrem com uma consciência permanentemente clara da continuidade e da gravidade da vida. Foram as mães. Através de todos os transtornos, sob todas as desgraças e trabalhos sua vigilância não se alterou. Porque elas sentiam com a clarividência da carne que se fez carne, e do espírito que sobre a sua criação atentamente se projetou.

Os educadores de hoje compreenderam que a sua função tinha de ser, antes de tudo, altamente maternal.

Sentiram que a humanidade que se debate entre tantos e tão desesperadores problemas sofria, na sua plenitude, os males do passado em que tinham sido nutridas as suas raízes.

E eles estavam nesse passado. De algum modo tinham acentuado, com a sua influência, as formas inquietas da infância que em suas mãos palpitara.

Os educadores seguiram com os olhos essa infância.

Seguiram-na, e sentiram o que as mães sentem olhando para seus filhos.

Desde então, em todos esses que, pela qualidade da sua formação interior, foi possível haver a emoção de infinito e de sagrado própria a todas as mães, começou a existir um educador diferente. Uma criatura que, acima da sua condição de dirigente de uma classe, põe a de criadora de inúmeras vidas, com essa pureza de intenções que proíbe dizer: Vai por este caminho! – tanto sabe que entre os que vêm e os que se vão, pela terra, há sempre abismos tão grandes que todo o nosso amor não teria poder para os encher ou fechar.

Os educadores quiseram ficar sendo, apenas, donos de uma infinita esperança.

A esperança de que a infância, nutrida unicamente de ideais desinteressados, sem receber o veneno de nenhum egoísmo, o vício de nenhum preconceito, o mal de nenhum sistema, chegue à sua floração isenta de quaisquer algemas, para se realizar de acordo com aquele destino que os cativeiros não prejudicaram.

Rio de Janeiro, *Diário de Notícias*, 19 de outubro de 1930

Escola para a criança

Tal como o governo para o povo, a escola que não se adapta à visão moderna da educação continua a ser mais um meio de proteger o professor do que a criança: mais o dirigente do que o dirigido, – e perde, assim, toda a sua razão de ser, como as democracias falhadas pelo esquecimento ou ausência de compreensão da sua verdadeira e única finalidade.

As provas de que a escola, desde muito, não vinha correspondendo àquilo que dela se esperava estão bem patentes na obra de todos os pedagogos, psicólogos, filósofos, sociólogos, que clamam por uma transformação educacional, movidos pelo mesmo espírito que anima as revoluções, e modifica os regimes.

Nem poderia ser de outro modo, pois as revoluções trazem sempre uma novidade ideológica que lhes determina a origem, e as novidades ideológicas, representando sempre uma nova fisionomia da vida e do homem, têm como fator importantíssimo o processo educacional, situado na escola.

Nós temos escolas. Há muito tempo que as temos. Mas estarão elas perfeitamente integradas na sua função?

São escolas para atender a crianças ou a professores?

Pode-se afirmar que, infelizmente, ainda as temos de ambas as naturezas.

Não nos deslumbremos com transformações metodológicas: coisas superficiais, aparências que rotulam com cores vivas de modernismo a mentalidade passadista de muitos elementos enraizados em rotinas inabaláveis.

As reformas pedagógicas não se justificam apenas com a introdução de fatores pedagógicos concretos: com tabuleiros de areia para ensinar geografia; jogos de linguagem e de aritmética; centro de interesse, testes etc.

Se tudo isso não estiver aviventado por um "espírito" diferente, se tudo isso não levar ao impulso de uma diretriz em harmonia com todos os problemas sociais da atualidade, o que continua prevalecendo é a velha escola de tico-tico, de fachada pintada de novo e professor mascarado.

Como é triste ter de admitir que ainda existam escolas assim!

Rio de Janeiro, *Diário de Notícias*, 22 de novembro de 1930

A formação do professor [II]

Estamos no Distrito Federal, diante de uma situação plenamente antagônica, em matéria de ensino, e que tem de ser prontamente resolvida por um administrador que entenda, realmente, do assunto e seja capaz de continuar a obra magnífica iniciada pelo sr. Fernando de Azevedo, no regime findo.

Trata-se do seguinte: possuindo uma Reforma de Ensino Primário que, talvez, só encontra equivalência na reforma espírito-santense do sr. Atílio Vivacqua, temos para realizá-la um professorado que ainda continua vindo de uma Escola Normal atrasadíssima, incapaz de preparar elementos em harmonia com a função que deverão exercer.

O professorado em atuação nas escolas, surpreendido com as inovações pedagógicas introduzidas, – exceto alguns casos raros de pessoas que se interessavam platonicamente pelos assuntos educacionais, recebendo essas inovações com toda a naturalidade – teve de fazer uma rápida adaptação à nova ordem de coisas. Adaptação um pouco apressada, um pouco aérea, em muitos casos, confundindo pedagogia com educação, meios com finalidade, – mas, enfim, caso digno de louvor pelo que significa de boa vontade da parte do magistério, em se aperfeiçoar, para melhor servir à criança.

Enquanto, porém, isso se passava com essa porção do professorado que já estava em atividade, e, por isso mesmo, conhecia os pontos difíceis a vencer, dentro dos novos rumos educacionais, – a Escola Normal, burocraticamente, continuava a fornecer novos contingentes de normalistas diplomadas com a orientação anacrônica anterior à reforma.

Temos, assim, professoras recém-formadas que nunca ouviram falar, lá, na Escola Normal, dessa Reforma de Ensino, da sua ideologia nova, do estado da escola primária entre nós e daquilo que terão a fazer quando forem nomeadas.

E esses contingentes constituem como uma formidável emissão de moeda falsa, cuja circulação vem atrapalhar a grande iniciativa educacional que tanto nos honra.

Que fazer, porém? A obra do sr. Fernando de Azevedo, com a Revolução, ficou bruscamente truncada. No entanto, da sua continuação, em moldes determinados pelas experiências já realizadas; pelo conhecimento exato do problema, não nas fórmulas escritas, nem talvez, mesmo, em certas informações mal fundamentadas, mal apreciadas e até fictícias, – mas na observação direta da vida, do aluno, e do professor; dessa continuação inteligente e séria, que se empenhe no interesse coletivo e não na distribuição de lugares pelos parentes e amigos, – é que depende a nossa transformação de povo, pelo despertar dos elementos que um erro de educação mantém rebaixados numa existência amorfa, obscura e inútil.

Em tal conjuntura, a reforma da Escola Normal aparece como uma necessidade urgente, grave, inadiável. Reforma que seja um corolário do ensino primário. Reforma capaz de formar professores para a escola primária já transformada. Reforma criteriosa – oh! ao menos depois da Revolução tenhamos o pudor de agir com integridade! – reforma que não deixe envergonhados os que a realizarem, pelo julgamento do povo, já mais esclarecido sobre essas questões e sobre a responsabilidade dos que as enfrentam.

Certamente, depois de um empreendimento como a Reforma de Ensino Primário, é preciso fazer algo de mais amplo, mais completo, mais significativo para a ideologia que a Revolução não pode dispensar.

A Escola Normal será um detalhe dessa obra, como o ia ser na do sr. Fernando de Azevedo. Mas um detalhe tão importante quanto a própria obra na sua totalidade. Porque, em educação, o sentido criador é único. Em cada momento do seu ritmo, a vida não é abalada na sua eternidade.

Rio de Janeiro, *Diário de Notícias*, 16 de janeiro de 1931

A atuação do professor moderno

Já vai longe o tempo – felizmente para a humanidade – em que o professor, e especialmente o professor primário, se deixava reduzir a uma simples expressão automática de livro oral, repetindo monotonamente conceitos e informações muitas vezes de veracidade duvidosa, para que os alunos passivamente os acumulassem no cérebro, num esforço de memória que lhes anulava as faculdades propriamente criadoras.

A evolução da vida, a intromissão do pensamento vigilante dos filósofos, dos psicólogos, dos sábios e dos artistas, no ritmo das atividades humanas operou essa transformação que hoje se verifica nos mais diversos pontos da terra – em todos os pontos onde acordou o respeito pela humanidade e o desejo de a servir com interesse superior.

Há, no entanto, quem pense, ainda, que, modificados os rumos pedagógicos, substituídos uns processos por outros, mudados os nomes às coisas, dispostos os professores de outra maneira, dentro do ambiente escolar, a obra educacional esteja posta em execução.

Puro engano.

A função do professor deixou de ser apenas dentro do ambiente da escola. Exteriorizou-se e amplificou-se. Invadiu todos os recantos em que se desenvolve a vida, porque está conscientemente, integralmente participando dela: não é mais uma função à parte, como nos velhos tempos em que a rotina, desinteressada pelas suas consequências, campeava solta, comprometendo o futuro do mundo, sem o freio da responsabilidade.

O professor tem de estar em toda a parte, surpreendendo o giro das intenções e o movimento do espírito da época.

Ao mesmo tempo, sua atuação deve alcançar os mais variados pontos, servindo-se, para isso, dos mais vários caminhos.

Não se trata de uma estratégia, como há outras, de sutileza interesseira, visando conquistas egoísticas.

Essa multiplicidade de rumos, essa multiplicidade de meios deve estar sempre orientada pelo sentimento e pela compreensão dos direitos humanos à liberdade, e pelo gosto do sacrifício, até, das ideias próprias, quando o seu termo de ação esteja atingido pela inexorabilidade evolutiva da vida, e se chegue ao ponto de transição em que o professor tem de ser orientado pelo próprio aluno que orientou.

Porque existe também esse resquício de egoísmo, dos que não querem morrer no tempo devido. Há o tipo de professor que se apega à ilusão de que aquele que foi, um dia, seu aluno, pela existência toda o continua a ser. É o adulto que não quer reconhecer a superioridade dos dons criadores da infância; é a velhice que não se quer submeter ao critério da mocidade, julgando-o fútil e sem fundamento.

No entanto, é disso que precisamos, principalmente do professor que saiba ser aluno do seu aluno. Da criatura humana que se saiba adaptar à ordem silenciosa da vida em marcha. Do que não queira ser professor para mandar, mas para servir, do que não queira deixar sobre a terra edificada a sua opressão, mas, pelo contrário, veja com alegria desaparecer o vestígio da sua submissão no futuro que se construiu com alguma coisa do seu contente esforço.

Rio de Janeiro, *Diário de Notícias*, 17 de janeiro de 1931

A passagem dos ideais

Exige-se para o educador não uma alma instável, mas uma alma plástica.

Não se quer o homem que oscila entre muitos ideais, sem se prender a nenhum, por incapacidade de escolher a sua própria orientação. Mas pede-se o homem capaz de se amoldar a qualquer realidade, de interpretar a intenção de cada época e a ideologia das gerações que avançam, pronto a se transformar de acordo com essa sucessão contínua do futuro, que é a única maneira de se poder a gente colocar durante todo o tempo da existência a serviço dos habitantes da terra.

O educador não pode ficar agarrado a um sistema, a um método, a uma doutrina. A permanência estiolante num determinado ambiente, limitado e imóvel, se já é coisa perniciosa para um indivíduo qualquer, torna-se coisa criminosa no homem que atua numa questão educacional.

As vidas que dependem da influência de um educador são vidas que ainda se vão realizar. Não podem ser nutridas pela seiva dos velhos sonhos, de que a humanidade já se desiludiu ou se está desiludindo.

O educador tem de ser um explorador de novos mundos espirituais. Cumpre-lhe incutir nos que vão com ele esse gosto do novo, essa alegria das descobertas, esse entusiasmo criador pela vida, essa satisfação de ser criatura, e esse bem de todos os dias se aperfeiçoar.

Não há paralelismo no avançar das multidões, de um século para outro, porque o problema da educação não cogitava, até aqui, de proporcionar a simultaneidade dos seus benefícios a todas as classes que se diferenciam no movimento da humanidade.

Encontramo-nos, assim, diante de multidões heterogêneas, com impulsos variados e até opostos, formando ritmos incoerentes e de difícil coordenação geral.

Mas, se quisermos classificar esses ritmos, podemos desde logo dividi-los em duas classes: a dos que se apegam ao passado e a dos que se curvam para o futuro. Naqueles que põem seu ideal no presente há sempre uma dessas duas forças atuando, para o deter ou impelir.

O educador, tendo de ser dos da segunda categoria, precisa, ainda assim, ter uma compreensão bela e grande do passado. Isso sempre é mais fácil de conseguir do que, num apaixonado defensor do passado, uma capacidade para contemplar com beleza e largueza o futuro.

Nietzsche tem uma frase que exprime bem essa contínua passagem e transformação de ideais que vão mudando a face do mundo. Diz ele que o que achamos mau numa época são os restos desatualizados do que, noutra, foi considerado bom.

Essa frase, ao mesmo tempo, envolve uma alta lição de tolerância, pelos ideais já mortos, e uma advertência pelos ideais que também morrerão.

Falando nos resíduos de antigos apogeus, Nietzsche passa-nos diante dos olhos a fragilidade e a transitoriedade de cada grande inquietude, como nos antigos festins egípcios se usava fazer passar diante dos convivas um cadáver – para lembrar na hora florida o instante definitivo da morte.

O educador precisa ter bem nítido esse conceito da duração das coisas e das ideias.

E precisa adaptar-se a ele. Tanto melhor educador será quanto maior e mais fácil capacidade de adaptação demonstrar. O passado alimenta-nos de sugestões. Mas essas sugestões, atravessando o tempo, se modificam. Convertem-se em experiências novas. É um erro pensar que a vida se repete. Ela é rica demais para se estagnar ou ser o que já foi. Sua substância é a eternidade absoluta, em que o poder criador palpita sustentando mundos e preparando mundos, com a largueza e a serenidade de uma energia que não se extingue e que sabe ser sempre a mesma, dentro de formas inesperadas e imprevisíveis.

Rio de Janeiro, *Diário de Notícias*, 31 de janeiro de 1931

Os bons exemplos

Em matéria de educação, um estado brasileiro está, realmente, em condições especiais, e invejável: o de São Paulo, tendo como diretor de Ensino uma pessoa que, se não realizar obra moderna, inteligente e digna de todo o louvor, não será por falta de cultura geral e especializada.

Ocorre-nos dizer isto abrindo agora a revista *Escola Nova*, segunda fase da revista *Educação*, órgão da Diretoria Geral de Ensino de São Paulo.

A simples mudança de título dessa revista resume um programa a seguir. Ainda que a grande inquietação brasileira, neste momento, seja, realmente, uma inquietude de educação, como o antigo título, a orientação que essa inquietude assume na prática do ensino convém esteja de acordo com a ideologia humana destes tempos. Essa ideologia se concentra nas fórmulas da Escola Nova, que não é, felizmente, como tanta gente apressada a princípio supôs, uma invenção qualquer de vaidade, modernismo vazio, expressão decorativa, sem finalidade e sem responsabilidade.

Assim, o professor Lourenço Filho, com duas palavras, assentou a sua orientação de administrador.

Quando foi da questão da autonomia didática – em vez daquela autonomia geográfica que os inspetores daqui receberam logo depois da Revolução – claramente – se viu que São Paulo começava a tratar a sério o problema da educação, – problema central, na nova fase de vida sonhada pela Revolução.

Agora já principia a ir sendo posto em ordem o ensino paulista. E este número da *Escola Nova* revela sozinho o bom caminho por que vai o professor Lourenço Filho, procurando aproximar-se do professorado e das escolas com aquela atitude de boa vontade e de simpático prestígio indispensável a quem se encontra em situação igual à sua.

Neste número do órgão da Diretoria Geral de Ensino de São Paulo, aborda o seu diretor a questão dos programas de ensino. Aborda-os dando primeiro a sua opinião pessoal, que se equilibra, entre as intenções extremistas dos grandes sonhadores da educação e os arcaísmos dos conservadores intransigentes, inclinando-se mais para os primeiros, na compreensão do assunto, embora moderando o seu entusiasmo pelo conhecimento da situação atual do meio.

E justamente para provocar nesse meio as modificações desejáveis, construindo-o com mais amplidão e dando ao professorado elementos que lhe permitam o indispensável progresso, reúne a Escola Nova uma coleção de programas de ensino: os da Alemanha e os da Áustria, os da França e os da Itália, os da Suíça, e o da Escola Elementar W. Francis Parker, de Chicago, os do Distrito Federal e um excerto dos de Minas.

E, além deles, contribuições de professores para elaboração de programas para as escolas paulistas, o que é, sem dúvida, de grande alcance, numa iniciativa como a que está confiada ao professor Lourenço Filho.

Com este número da *Escola Nova* nos é oferecido um magnífico exemplo de competência, da parte de um administrador.

Exemplo que o professorado brasileiro, qualquer que seja a sua zona de atuação, receberá com o maior interesse, não só pela sua raridade como pelo seu valor inestimável.

Rio de Janeiro, *Diário de Notícias*, 8 de fevereiro de 1931

A inquietação da Escola Nova e a renovação do mundo

Dentro da orientação da Nova Educação, muitos têm sido os tipos de escola que aparecem, procurando cada um levar mais longe a inquietação moderna de renovar o mundo através a preservação adequada da infância.

E em cada novo tipo desses que surge, o interessante de ser não é a diferença de organização, nem a adoção deste ou daquele método, nem mesmo a divisão do trabalho: nada do que constitui a parte externa da Nova Educação, – mas essa inquietação de transformar a humanidade, de mudar o aspecto do mundo, como decorrência de uma convicção profunda de que ele se acha em decadência, e é preciso atuar energicamente, para o levar a uma regeneração.

Todas as atividades da Escola Nova se propõem essa mesma finalidade.

Elas desejam modificar os propósitos de atuação sobre a criança, favorecendo-lhe a eclosão natural, dentro dos limites biológicos, porque sentem que o mundo exterior anda pisando com violência sobre a infância, torcendo-lhe a própria estrutura, num evidente desrespeito à sua liberdade, para conseguir formar homens de acordo com o padrão do seu interesse, homens que sirvam a esse mundo não como os homens devem servir, mas como esse mundo precisa ser servido.

Elas se põem, para isso, em contato com as famílias, esclarecendo-as, elevando-as a um outro nível, favorecendo-as sob todos os pontos de vista, desde os de assistência material, provendo-as de recursos que lhe permitam um conceito mais feliz da vida, até os de assistência moral, pondo-as ao corrente da evolução do homem, da evolução da sociedade, para que haja, em torno das crianças e das escolas, um ambiente de olhos abertos a realidades que a ignorância muitas vezes esconde, e que os falsos donos do mundo por isso mesmo exploram.

Essas escolas se interessam pela criança, pois, não só dentro das suas paredes, mas no lar. E, além disso, nas ruas, vigiando as influências que lhe possam chegar nesse cenário irresistível que é a ação pública. E ainda mais, –

nos espetáculos de arte, criando-os especialmente para ela, e proporcionando--lhe a frequência na própria escola, previdente e bem-intencionada. E assim por diante.

De modo que, uma escola moderna, uma escola consciente é, na verdade, um grito de alarme contra este mundo superficial, mentiroso, traiçoeiro, impuro e interesseiro em que nós desgraçadamente vivemos, uns conformados com eles, porque podem respirar a sua atmosfera, outros revoltados, porque são de outra essência, e têm a viva noção do seu despaisamento.

Uma escola moderna é um abrigo para a criança de hoje, com o intuito único de permitir a construção de uma outra humanidade, mais justa e melhor do que esta.

É um recanto onde a criança aprende a amar as outras crianças como aprende a amar a natureza, em tudo que a representa; em que procura descobrir suas aptidões para vir a ser uma força útil na vida, orientada pela sua vocação, ocupando o lugar adequado à sua capacidade, e não um lugar de assalto em que os seus erros constituam um opróbrio para si e um motivo de indignação ou de ridículo para os outros; e um recanto onde a criança vive, realmente, a sua vida de criatura em crescimento, desenvolvendo cada novo interesse que a idade desperta, sem nenhuma imposição sobre os seus gostos e a sua orientação.

A escola moderna é uma advertência para esta humanidade que nos lega dia a dia seus erros e seus rancores. Ela chama a atenção para as suas longas calamidades, e procura com um movimento de clemência e de amor atraí--la para lugares de pensamento mais saudável e de interesses mais superiores, onde a vida seja um dom venerável e um pretexto para a alegria contínua de criar sempre caminhos melhores, para finalidades mais perfeitas.

Rio de Janeiro, *Diário de Notícias*, 17 de março de 1931

Contraste...

Nada é mais triste, para quem tem um grande sonho de construtividade, e encontra em si a força necessária para reunir todos os elementos destinados a essa construção, que certas épocas ingratas, em que parecem estar reunidos, por um destino irônico, todos os obstáculos a essa realização, e – justamente essa é a maior tristeza – obstáculos pequeninos, obstáculos insignificantes, que, por si mesmos, nem ao menos possuem a grandeza necessária para *impedir*, mas se amontoam das mais diversas e inesperadas maneiras com este propósito mesquinho: *atrapalhar*...

É o caso das nossas questões educacionais. O regime findo deixou-as numa fase admirável para todos os desenvolvimentos necessários à sua expansão e à sua aplicação.

Podia ter sobrevindo um cataclismo. Podíamos ter tido uma nova administração tumultuária, capaz de se resolver com audácia, embora com loucura, a derrubar a obra encontrada. (Também podíamos ter uma administração inteligente, que compreendesse o serviço que ia administrar, e, então, continuar com descortino e entusiasmo a obra já antes iniciada.)

Pobre Brasil! entre duas possibilidades grandiosas, há de sempre caber-lhe por sorte uma outra, pequenina, medíocre, inútil e importuna!

O administrador louco, mas audaz, combatia-se bem, brilhantemente, com a alegria de estar discutindo com alguém, de gênio arreliado, enfim, mas *alguém*. O administrador entusiasta e inteligente encontraria, em cada elemento bem-intencionado, uma força de colaboração.

Mas, como não tivemos nem um nem outro, só nos resta fazer esta coisa, aliás, para nós, igualmente interessante: contemplar com alegria e esperança o que se faz à distância, lamentando, é certo, que os administradores, que são os responsáveis diretos pelo país, não tenham olhos para ver exatamente essas coisas que lhes poderiam servir de tão brilhante estímulo.

Ontem eu falei aqui rapidamente do Uruguai. Hoje quero falar de São Paulo.

Desde que ficou à frente da Instrução Pública desse estado o professor Lourenço Filho, não nos cansávamos de louvar essa invejável escolha. São

Paulo poderia, talvez, ter outros diretores de Instrução. Cremos, porém, que este era um dos nomes que para esse cargo se impunham, com toda a naturalidade. E, até hoje, não tivemos motivo de arrependimento, por essa crença.

O professor Lourenço Filho – e o simples fato desse inseparável título de professor, junto ao seu nome, é um indício notável – tem feito, na sua administração, pelo menos no que se pode ver à distância, o máximo e o melhor que poderia fazer qualquer pessoa criteriosa, no seu lugar.

Cada número da *Escola Nova* aparecido na sua administração é, na verdade, um documento valiosíssimo do seu esforço, do seu interesse, da sua compreensão do problema educacional e, mais do que isso, uma revelação preciosa dos meios a que está recorrendo para tornar o mais eficiente possível a sua situação de diretor de Instrução.

Nestes números do órgão oficial, especializados em assuntos, – um número dedicado a programas, um número dedicado à saúde, agora um outro dedicado a testes – sente-se a inquietação de levar a todo o professorado os elementos de cultura que lhe são indispensáveis para a prática adequada do ensino.

Enquanto o Distrito Federal, completamente sucumbido, dorme sobre a papelada burocrática da Diretoria de Instrução, – o grande estado vizinho trabalha naquilo que devia ter absorvido todos os revolucionários, depois de outubro: a construção do Brasil pela educação do seu povo.

É certo que tivemos todos uma espantosa novidade, nestes tempos desassombrados – o decreto sobre o ensino religioso, esse último estigma do cativeiro reverdescendo na pena de um triste ambicioso.

São Paulo, ainda em meio à desgraça geral, teve esta outra sorte, um diretor de Instrução cuja norma de trabalho assenta nesta declaração do próprio professor Lourenço Filho: *expor, e não impor*.

Essas pequenas diferenças nas causas é que produzem as enormes diferenças nos efeitos... Mas... – quantos são os olhos suficientemente claros para a verdadeira visão?

Rio de Janeiro, *Diário de Notícias*, 10 de junho de 1931

O novo tipo de educador

Em educação, todos os problemas são importantes, e há, em aparência, pequenos nadas a que seria um erro imperdoável não prestar a devida atenção.

O educador verdadeiro, aquele que está preocupado, todos os instantes, com sintomas novos, na tarefa em que se empenha, sabe que não há terreno mais vasto, mais complexo e de mais variadas e imprevistas significações que esse em que os seus interesses acompanham a marcha das criaturas na sua adaptação à vida. Por isso mesmo, contam todos os dias com espetáculos novos, fenômenos particulares, – e assim desdobram e modificam suas razões de agir em atenção a todo esse mecanismo que vem a ser o seu próprio material de trabalho.

O indivíduo normal já contém uma tal proporção de mistério que, ainda quando a vida fosse toda composta de criaturas sãs, a atenção do educador nem por isso ficaria mais livre de emprego. Mas a anormalidade é também abundante. Abundante, sutil e igualmente misteriosa. Os limites entre o normal e o anormal são tão indefiníveis, frequentemente; há tanto capricho em tudo quanto se refere ao psíquico; as relações entre observador e paciente podem dar margem a tantas variações de interpretação, que o educador tem de ser, acima de tudo, criatura prudente e com grandes recursos de liberdade para escapar ao mesmo tempo a premeditações e a ludíbrios.

Essa qualidade de isenção, que me parece tão primordial nos que desejam servir à obra de educação, tem de constituir muitas vezes um verdadeiro sacrifício para as mais acariciadas pretensões do educador. Ele deve ser um tipo humano capaz de se poder desiludir todos os dias, e de todos os dias renascer em ilusões. Essa qualidade lhe confere um poder extraordinário de energia. Esse ressuscitar diário é, realmente, a mais manifesta capacidade de se manter em vida, sem as funestas consequências que a rotina costuma insinuar no tempo.

E essa flexibilidade de se adaptar diferentemente em atenção a cada caso, essa alegria de ser, de deixar de ser e de tornar a ser tantas quantas forem as vezes necessárias para atingir uma determinada expressão – sem se confundir nessas metamorfoses, nem as empregar inadequadamente, – tudo isso são exigências cada vez mais imprescindíveis para quem sabe profundamente o que significa intervir com a sua influência na evolução da vida circundante.

Pode ser que essas exigências não cheguem a tomar um caráter tão absoluto senão quando se trata da própria elite dos educadores. Pode ser? Mas, em educação, é fácil sentir a ansiedade da generalização da elite. Porque não se trata mais de formar várias camadas de humanidade, diferentes entre si. Pelo contrário, tem-se a inquietude de realizar, tanto quanto possível, uma obra de elevação igual, com os mesmos intuitos e a mesma orientação íntima.

Não há, portanto, uma razão que admita duas qualidades de educadores. Todos têm a mesma responsabilidade. Todos estão tratando do mesmo problema. Precisa haver um acordo geral, não só na *maneira de agir*, mas na *maneira de ser*, antes de agir. Desta, naturalmente, é que há de resultar aquela.

E é por esses motivos que o problema da formação do *professor*, por ser o problema da formação do *educador*, se reveste, dia a dia, de uma gravidade maior.

O tipo do profissional, apenas, já não é suficiente. Mais do que isso, é vergonhoso, e deve ser severamente condenado. Precisamos de idealistas. Em educação, como em tudo mais. Principalmente, porém, em educação, de que tudo mais depende. Quando os teremos? Ou quando, pelo menos, os procuraremos ter? Não nos devia caber, a nós, a pergunta. E a resposta, igualmente, não pode ser dada por nós.

Rio de Janeiro, *Diário de Notícias*, 14 de agosto de 1931

O problema do professor

Uma das preocupações iniciais da educação moderna foi tornar a escola agradável às crianças. Os velhos ambientes tristes e monótonos, como cárceres devorando diariamente as mais belas horas da vida, passaram a ser transformados, enchendo-se de claridade, de cores, de toda a alegria capaz de recordar a liberdade da natureza – quando não foram substituídos por essa própria natureza, com a abundância de plantas e a maravilha do céu, que serão sempre deslumbramento para os olhos humanos.

A criança deixar-se-ia da "gazeta" habitual, da corrida pelo mato, pelos parques ou pelas praças, da contemplação dos peixes nas águas e da caça às frutas gratuitas, tendo a atraí-la uma escola bonita e luminosa, farta de carinho e de respostas para a ansiedade do seu coração e a curiosidade do seu espírito.

Renovou-se *materialmente* a escola.

Mas, dentro da escola havia um elemento mais importante para essa atração infantil. Havia a professora.

Numa linda casa, um coração duro e sombrio, uma voz forte e rouca, um olhar carregado e feroz, uma inteligência opaca e hostil são motivos constantes de desgosto e de repulsa para a fina sensibilidade da criança, naturalmente disposta ao gozo das coisas agradáveis, que lhe favorecem o desenvolvimento da vida.

Infelizmente, a transformação "material" da escola não foi acompanhada a rigor da transformação do seu ambiente espiritual.

E esse ambiente é muitíssimo mais importante que o outro. Uma inteligência por si mesma luminosa é capaz de fazer encantador um recanto desgracioso e pobre. A claridade de uma alma que se criou para a beleza pura faz ver, de outra maneira, todas as coisas circunstantes.

E as salas confortáveis e os acessórios perfeitos, ao contrário, só podem evidenciar mais as criaturas detestáveis que se esqueceram de que a primeira virtude humana é a de participar da vida com elegância moral, sem deixar em nenhum lugar o ponto sombrio de uma presença negligente ou má.

A renovação da escola, por outro lado, se obedeceu aos interesses da criança, parece não ter levado muito em conta a personalidade do professor. Pensou-se em agradar ao aluno; mas a escola que agrada ao aluno será justamente a que mais agrada ao mestre? Se os resultados obtidos podem dar essa satisfação, dever-se-ia crer que sim; mas esses resultados exigem uma intensidade de aplicação tão grande e atenta da parte do professor, que é lícito supor não seja sempre a Escola Nova uma realidade das mais simpáticas para ele.

E isso é que conviria estudar com precisão. A Escola Nova está certa desde que conte com a solidariedade do professor. Escola Nova com professor que a contraria e que se contraria é tempo perdido e ilusão sem futuro.

E por que não gostarão alguns professores da escola renovada? Isso é que convinha averiguar. Alguns, será por espírito de rotina. Outros, por falta de vocação, ou de conhecimento. Os primeiros, se não há possibilidade de os conciliar com o novo sentido pedagógico, melhor seria jubilá-los todos. Serão sempre inúteis, e muitas vezes prejudiciais, ridicularizando, desacreditando, duvidando do interesse dos professores que desejam evoluir. E como, em geral, são de categoria superior...

Os incertos, que hesitam em apoiar a Escola Nova por falta de conhecimento ou de vocação, constituem dois casos muito especiais. O primeiro ficará resolvido, decerto, por meio de cursos de aperfeiçoamento, destinados a agitar todas as questões diretamente ligadas à Nova Educação, que, por falta de tempo, não tenham sido ainda ventiladas.

Quanto à vocação, é caso ainda mais sério, porque, sem ela, todos os conhecimentos continuarão a ser detestados e desaproveitados.

A falta de vocação, no magistério, tem sido uma das causas mais graves do estado das nossas escolas. A vocação é capaz de suprir e remediar tudo: prédios, material, merenda, enfermidades, intempérie...

E não há dúvida que devemos ter um sem-número de casos desses, uma vez que a Escola Normal tem vindo formando até aqui uma grande quantidade de diplomados que nenhuma seleção justa garantiu poderem vir a assumir a responsabilidade de educar.

Mesmo para ensinar a ler e escrever – esse ideal tão inocente de alguns patriotas brasileiros – é preciso ter certos dons. Como a escola não se resume nisso, a exigência dos dons aumenta. Mas a Escola Normal, esquecida da sua função, vai distribuindo diplomas que asseguram a terminação de um curso, mas não provam a formação de professores.

Em tal situação nos encontramos. É tempo que, compreendendo o funcionamento da organização educacional, o próprio povo perceba que ser professor não é um meio de ganhar a vida, apenas. É um meio de servir à pátria. E que esse serviço exige o máximo dos que a ele se dedicam. E como os meios de ganhar a vida são infinitos, e tanto mais produtivos e agradáveis quanto mais de acordo com as tendências de cada um, é mais fácil não assumir um encargo que não se pode executar compreensivamente e de boa vontade, a obtê-lo para prejudicar depois os próprios interesses nacionais.

Rio de Janeiro, *Diário de Notícias*, 3 de novembro de 1931

Uma questão de atitude

A educação moderna, para atingir a sua eficiência, exige, preliminarmente, uma nova disposição de espírito, uma nova atitude de pensamento que, uma vez adquirida, determina, como consequência natural, toda a concatenação de novas aplicações pedagógicas, igualmente fiéis aos motivos humanos e às razões da experiência, conciliando uns e outros numa harmonia de realizações inteligentes e oportunas.

Há pessoas que não podem nem ouvir falar nestas duas palavras juntas ESCOLA NOVA, porque imaginam logo uma série de suplícios absurdos, teimosamente instalados na cegueira da sua superstição. Esses imaginários suplícios têm raízes fáceis de descobrir. Aqueles que adotaram uma atitude estática na vida, que subiram da infância com o propósito de chegar a uma completação assegurada pelo simples acesso à idade adulta, sentem, por força, uma verdadeira decepção, vendo-se na contingência de uma indispensável renovação. Acreditavam-se perfeitos. Ter de agir de novo sobre si mesmos, quando a rotina já lhes dava um conforto prático tão grande, garantindo-lhes a eles mesmos uma infalibilidade que os satisfazia e tranquilizava, deve ser, na verdade, uma perspectiva um tanto desagradável. Mas só aparentemente desagradável. E nisso é que deviam crer os interessados. Porque o temor a realizações constantes e a renovações contínuas denota desconhecimento do sentido profundo e essencial da vida, que só encontra sua satisfação fecunda no próprio desdobramento da sua atividade, no emprego da sua energia, no aproveitamento, em formas sucessivamente aprimoradas, da sua secreta palpitação que forma e destrói, para formar melhor, não só as aspirações humanas como todos os outros aspectos dos mundos esparsos na onda da sua riqueza dinâmica.

Há os que não percebem a sua situação de elemento de um todo perpetuamente em movimento. Acreditam ser uma expressão isolada, uma personalidade, uma forma, um nome. Detêm-se nessa suposição. Vieram de um meio que os afez a essa ideia, prometendo-lhes sempre um estado definitivo a alcançar em certa idade, como termo de um processo e síntese de todos os interesses da existência.

São esses que estranham o convite para a marcha representado no sentido da educação moderna. Não veem na sua frente nenhuma finalidade sedutora, – porque a alegria de viver está na própria exposição da vida, e eles se viciaram em agir para uma conclusão não só bastante próxima como suficientemente concreta, materializada em proveitos convencionais.

Precisamos remover todas essas convicções anacrônicas que estão impedindo a visão dos tempos novos. A atitude adequada surgirá espontaneamente da libertação desses preconceitos. E essa atitude determinará todos os ritmos de que depende o desenvolvimento dos fenômenos educacionais, garantindo-lhes a integridade das suas virtudes profundas.

Rio de Janeiro, *Diário de Notícias*, 10 de novembro de 1931

Presença

A arte do educador é também a arte de se fazer presente. Presente para sempre na alma dos seus alunos.

Arte difícil. O aluno é quase sempre uma alma versátil, desdenhosa da aspiração vigilante que o aguarda e que se construiu para ele, como um desejo de sonho mais alto para uma vida mais deslumbradora.

É o destino do professor fazer a árdua experiência de se sentir vivendo mais além de si, na reprodução amorosa do pensamento de seus alunos e na recordação da sua sensibilidade que é um permanente futuro, pela esperança de dias ainda não anunciados, mas que afinal se formarão, com a insistência do sonho, para tempos que talvez não sejam mais seus, mas nos quais, na verdade, estará vivendo, porque nasceram pela sua mão.

Esse desejo de estar presente faz toda a obra de quem deu sua vida ao claro destino de, resistindo ao momento que passa e às circunstâncias que limitam, projetar-se num ideal que não morre, com a perseverança infinita de quem nem sequer precisa saber se ficará vivendo ou não...

A arte de se fazer presente encontra melhor pretexto no coração que no pensamento.

Há que encontrar um caminho de comunicabilidade por onde transitem as vozes que não falam, as inquietudes que não se exprimem, as palavras que o tempo não escuta, mas que enchem as distâncias que existem entre a alma do aluno e a do professor.

Nos mais hostis ambientes, apesar de todos os obstáculos que sempre se interpõem às criaturas, a ânsia do educador saberá encontrar a passagem silenciosa por onde seu espírito se põe em contato com o aluno, que ignora, quase sempre, a obscura solicitude que o acompanha, e não pode saber a intenção fervorosa que dentro dela se equilibra, feita de partes iguais de desinteresse e puro desejo de felicidade.

O mais doloroso é quando o discípulo se faz estranho ao professor, quando se torna seu adversário, e evita os caminhos por onde se podem encontrar os sonhos que inutilmente buscam chegar à sua vida.

Mas é verdade, também, que há professores e professores. E a arte de se fazer presente é a mais difícil das artes.

Precisamos aprendê-la. Precisamos sempre ser mais perfeitos que os alunos... Precisamos levar-lhes a nossa vida, ainda quando a recebam com indiferença. Quando talvez não a queiram mesmo receber.

Há um gosto de beleza nessa obra, rudemente amarga. Mas esse gosto contenta o espírito para sempre. E, depois dele, pode-se ficar para todo o tempo sem necessidade de mais nada que possa parecer ventura, e emancipado, também, de qualquer aflição.

Rio de Janeiro, *Diário de Notícias*, 27 de novembro de 1931

O curso de férias

O curso de férias que a Diretoria de Instrução acaba de organizar para o próximo mês de fevereiro corresponde a uma das maiores, se não mesmo a maior das necessidades do nosso ensino primário.

A Reforma Fernando de Azevedo, assentando as bases para a transformação escolar, deixava previsto o aperfeiçoamento do professorado, uma vez que seria absurdo esperar e mesmo desejar que conseguissem o êxito indispensável, na prática dos novos métodos, para novas finalidades, os normalistas diplomados por uma escola que, estacionando no momento em que o ensino primário se desenvolvia, não podia jamais satisfazer as exigências deste, pelo atraso em que se situava, pelo simples fato desse estacionamento.

Para escolas novas, novos professores. Nem podia ser de outro modo, dado que o professor é, verdadeiramente, o responsável pelo ensino, e dele dependem todas as possibilidades da ação educacional.

O professorado sentiu, evidentemente, que, com a nova orientação dada à escola primária pela Reforma Fernando de Azevedo, toda uma série de estudos se impunha, a fim de lhe ser permitido realizar trabalho aproveitável e de acordo com as determinações oficiais.

Com a exiguidade de meios de que dispõe a classe – precárias associações, e precários recursos individuais, além de dificuldades de toda espécie – não se podia exigir muito mais do nosso magistério, além do que ele espontaneamente deu, nos seus elementos mais valiosos e realmente compenetrados da situação em que ficaram e atentos à melhor maneira de a poderem vencer.

Mas, o trabalho individual ou em pequenos grupos faz-se frequentemente estéril, pela falta de estímulo e de segurança, tanto quanto pela de uma justa coordenação que sirva como fator de economia no andamento normal dos trabalhos.

O curso de férias da Diretoria de Instrução vem atender a esses pontos, com a vantagem de, além de organizado pelas autoridades do ensino – que o são de fato, – virem no início de um ano letivo que se destina à grande agitação em redor dos principais problemas de educação.

Pode-se dizer que, até aqui, a Diretoria de Instrução não tem feito outra coisa senão estudar a situação que encontrou e que, na nossa opinião, depois de um ano de miséria administrativa, devia andar muito perto do mais completo caos.

Um estudo criterioso, tanto do que nos falta como dos recursos de que dispomos, deve, por força, conduzir a medidas capazes de, harmonizando os desequilíbrios existentes, conduzir a uma organização de serviço adequada às inquietudes educacionais do momento.

O curso de férias, ventilando, ao mesmo tempo, vários assuntos, dá margem a que os professores optem por estes ou aqueles estudos, definindo, assim, suas tendências vocacionais o que lhes garante um interesse mais sustentado e, consequentemente, um rendimento maior.

Além disso, nesses cursos, não se aprende apenas o que se ouve, mas o que se recebe por sugestão, e o que, por estímulo da curiosidade, vai ser aproveitado mais adiante, indiretamente, na reflexão posterior ao que se ouviu, no convívio com os colegas, na troca de impressões, no trato, enfim, mais íntimo e constante, das questões que cada dia se sucedem e renovam, dentro das órbitas pedagógicas.

Depois de um curso desses, o professorado estará, por certo, mais disposto para enfrentar os problemas de educação que desafiam cada vez mais a inteligência e a cultura dos seus investigadores.

E assim irá, pouco a pouco, tomando mais incremento esse gosto de educar, que, uma vez bem provado, já não se pode perder, e que nós tanto precisamos provar bem, para que o Brasil seja alguma coisa mais que essa maravilhosa terra sobre cujos montes e rios o cruzeiro pesa como o sinal do martírio – apenas enfeitado, agora, de estrelas...

Rio de Janeiro, *Diário de Notícias*, 21 de janeiro de 1932

Psicologia

Inaugurando ontem, no curso de férias, as suas lições sobre "Psicologia das matérias do ensino primário", o dr. Isaías Alves, subdiretor técnico de Instrução, estabeleceu com o nosso magistério o convívio que realmente lhe faltava para uma eficiente obra pedagógica, a altura não só do momento que atravessa o mundo, como, particularmente, da lei de ensino a que esse magistério está servindo.

Com aquela maneira muito sua de tornar agradáveis as coisas mais árduas, colorindo-as de um pouco de humor, o dr. Isaías Alves, no seu curso, faz ao mesmo tempo um trabalho duplo: realiza os intuitos do seu curso, teórica e praticamente, naquilo que se refere ao assunto propriamente dito, e, por outro lado, conduzindo a atenção dos ouvintes, por outros caminhos que daí se derivam, sem prejuízo da finalidade, – e antes com lucro, pelo repouso de sua divagação, – leva-os ao princípio de outros muitos assuntos que ficam sendo, decerto, motivo prolongado de uma curiosidade latente, capaz de ir alargando sempre o campo do conhecimento, com um suave estímulo e uma inesperada alegria.

No programa do dr. Isaías Alves há elementos para um estudo sem fim. Todas as questões podem surgir dos seus parágrafos, desde que exista habilidade para as despertar.

E, neste caso, a habilidade é manifesta, não só para isso, como para sugerir depois, e incentivar o esforço individual na obra de colaboração, e surpreender a capacidade de um, e enriquecer a de todos, podendo fazer, assim, de um curso que poderia não passar de uma série de conferências brilhantes, um centro de atividades psicopedagógicas, cujos resultados o professorado por certo se empenhará para que sejam os mais brilhantes possíveis.

Aliás, este curso é, sem diminuição do mérito dos outros, a parte mais central dos estudos que a educação vem a cada dia exigindo mais.

O dr. Isaías Alves não se esqueceu, por isso mesmo, de encarecer o valor da psicologia, como base para as mais altas conquistas pedagógicas e, se reservou aos professores o capítulo mais particular da psicologia educacional, chamou, ao mesmo tempo, a sua atenção para os subsídios importantíssimos da psicologia experimental e a significação da psicologia geral que a ambas sustenta, com a amplidão das suas complexas indagações.

O dr. Isaías Alves falava, especialmente, para professores. Classe a quem esses estudos são evidentemente indispensáveis. Mas a psicologia torna-se cada vez mais um estudo não apenas para o professorado, mas para todos os que intervêm, na vida pública, todos os responsáveis pela sua ação sobre outras vidas, e mesmo pelos que cumprem com o aparentemente tão simples ato de viver, – isto é, toda a gente.

Cícero espantava-se de que, sabendo os artífices o nome de todos os instrumentos de que se utilizavam, não soubessem os homens de Estado da vida de seus concidadãos. Ele julgava esse conhecimento do homem indispensável aos que têm de lidar com homens. E talvez, quando assim falava, já se estivesse referindo à necessidade de aprofundar o segredo do mecanismo interior das criaturas, ao dom de as conhecer para lá do engano de todas as aparências, a capacidade de as sentir na sua realidade mais certa, naquela que as move e governa, sem que elas muitas vezes disso se deem conta.

Os governos de hoje parece que não têm sentido permanentemente a inquietação que já preocupava Cícero. Cícero, anterior à era cristã...

Oxalá o magistério prove ser diferente dos governos. Porque, sendo ele, afinal, que os forma, talvez chegue o dia de todas as coisas estarem nos seus lugares.

(Não me estou referindo, aliás, ao dia do Juízo...)

Rio de Janeiro, *Diário de Notícias*, 2 de fevereiro de 1932

Escola para pobres

A escola pública teve – e ainda tem – duas repercussões opostas na opinião popular: há os que a procuram e os que ainda a repelem, os que a consideram à altura das suas necessidades e os que a colocam em situação inferior, e a repelem. De modo que o ensino, desigualmente ministrado, pública e particularmente, tem vindo formando, dentro de cada geração, duas classes definidas, antagônicas e quase inconciliáveis, cujos detalhes de composição podem escapar ao observador, mas que se caracterizam exteriormente pela denominação precária de pobres e ricos.

É bem verdade que, de certo tempo a esta parte, oscilando as apreciações, e variando também os recursos de um e de outro lado, a escola tem sido procurada por uma população mista de cujo vantajoso convívio resultará uma formação mais adequada do nosso povo.

No momento, porém, em que se poderia esperar o benefício dessa aproximação imediatamente reconhecido, acontece ouvir-se dia a dia uma vaga queixa indefinida que quer defender a escola como patrimônio exclusivo do pobre, desinteressando-se ou pondo à parte o destino dos ricos, se é que realmente existem.

Ora, parece que é igualmente detestável querer que a escola seja para uns ou para outros, exclusivamente. O preconceito das classes não deve ser abolido apenas de cima para baixo, mas também de baixo para cima. Seria lamentável que, procurando vencer uma situação de prerrogativas realmente odiosas, procurássemos um caminho com dificuldades iguais embora em sentido oposto.

Reclamar a escola para o pobre é admitir a existência de uma escola diferente para os mais favorecidos. É, portanto, continuar a sustentar o eixo de uma organização que se quer modificar, atendendo a critérios mais humanos e mais justos.

A escola não é, particularmente, para pobres ou para ricos. A escola é para a criança, considerada como valor humano, elemento de um povo, unidade de uma civilização.

Compreende-se que com o pensamento embebido de rotinas, e o coração envenenado pelo ceticismo que longos anos de duro sacrifício vêm destilando, ainda haja quem desconfie dos intuitos de educação, e só veja em redor de si fantasmas para combater.

Nunca a educação esteve tão longe de suscitar essas desconfianças e esses temores. Nunca ela se nutriu de aspirações tão altas e tão puras. Nunca teve palpitação tão comovidamente humana. Nunca mereceu tanto, boa vontade geral, e confiança, e interesse, e amor.

Não reclamemos escola para pobres ou para ricos. Não podemos querer escolas diversas, uma vez que reconhecemos lamentáveis as divisões injustas da sociedade numa base de recursos materiais.

Modifiquemos o caminho dos nossos pensamentos, ainda que isso nos custe algum esforço, se desejamos, realmente, trabalhar para um futuro melhor.

Precisamos vigiar as expressões indefinidas ou ambíguas em que se confundem as ideias, baralhando os seus valores e perturbando a opinião.

Não há mais que discutir sobre escola para pobres e ricos. Há que sentir na escola o ambiente de vida oferecido à formação humana, compreendendo que uma formação harmoniosa e justa deve ser estimulada desde o começo e não tentada arbitrariamente, quando já não há correção possível para males trazidos de tão longe.

Escola igual para todos: esperança de fraternidade definitiva; sonho de cooperação; experiência e promessa e paz.

Rio de Janeiro, *Diário de Notícias*, 11 de maio de 1932

Cooperação

A obra da Nova Educação é, principalmente, obra de congraçamento feita conjuntamente por aqueles que um ideal comum aproximou e que esse mesmo ideal deve continuar a sustentar em permanente convívio.

Pela sua natureza múltipla e sutil, os problemas da Nova Educação exigem tantas qualidades de parte daqueles que os devem resolver que seria pretensioso uma única pessoa admitir o milagre de as possuir todas em si e de estar, portanto, em condições de os enfrentar e resolver, dispensando qualquer colaboração.

Mas nisso de colaborar vai também tanto perigo que talvez não seja demasiado refletir um pouco sobre coisa tão oportuna e indispensável.

Teoricamente, parece que todos compreendem e aceitam de boa vontade a colaboração. Mas praticamente nem sempre é assim. A criatura humana tem os seus mistérios. Há sempre mais dificuldades do que se imagina em lidar com uma vida, dirigindo-a sem a magoar. E colaborar, realmente, é um problema de atenção. Em que todos precisam tomar a atitude mais justa para o encaminhamento de um assunto: em que todos, portanto, dirigem e são dirigidos, devendo, pois, agir com extremo cuidado, para evitar todas as prováveis colisões.

Cooperar e pensar de tal maneira na responsabilidade de uma obra que se percam de vista os interesses pessoais, que se ponham de parte os egoísmos, que se esqueçam as vaidades, que se reduza toda a atenção ao caso que se estuda e a que se procura dar a solução mais perfeita possível.

Na cooperação, cada um tem de se esforçar por abolir em si o excessivo, comparando serenamente as suas razões com as alheias, e esforçando-se por manter sempre no espírito essa claridade que se origina da preocupação da justiça e se nutre com a energia da boa vontade.

Mas, por ser assim, a cooperação não significa uma redução do indivíduo, nem muito menos a sua sujeição. O poder da liberdade, posto em jogo nas mais duras provas, é que, afinal, consegue fazer da cooperação coisa preciosa e admirável. Dando a cada criatura a inquietude de se observar, e de voluntariamente se conter nas suas linhas mais perfeitas, a cooperação oferece o máximo de oportunidades para se alcançarem os melhores resultados, qualquer que seja o nível em que se desenvolva e o fim que vise.

Cooperar é um fato de humildade. O reconhecimento das qualidades alheias é sempre uma disciplina para melhoramento humano.

E é também um extraordinário ato de fé. Fé no poder da vida; na força da fraternidade; na união das aspirações humanas a serviço de um bem qualquer.

A Nova Educação exige que todos cooperem. Para que todos fiquem servidos. Aos educadores contenta apenas esta alta e bela palavra: SERVIR.

Rio de Janeiro, *Diário de Notícias*, 14 de maio de 1932

A propósito da escola pública

Tratando de uma obra educacional recentemente aparecida, o sr. João Ribeiro teve ocasião de escrever as seguintes palavras:

> A escola pública é essencialmente niveladora. É a sua qualidade e também o seu defeito. A normalidade sendo uma abstração, é natural que a escola comprima os que mais se avantajam e ao mesmo tempo exija maior esforço dos que se retardam e não possam acompanhar o movimento progressivo dos estudos.

Ora, essa visão do ilustre crítico a respeito da escola pública não nos parece muito de acordo com a realidade atual.

O que se tem procurado fazer modernamente é, muito ao contrário, obter uma escola que sirva a criança respeitando-lhe a personalidade. Ao invés da escola imóvel, obrigando os alunos de diferentes capacidades a se igualarem dentro de um programa para a sistemática nivelação do exame, o que se deseja é a escola que oferece a cada um o máximo desenvolvimento das suas aptidões. A escola de hoje não é baseada em preceitos apriorísticos: ela se empenha na apresentação de constantes oportunidades para que os alunos se encontrem a si mesmos e conquistem, na proporção requerida pela sua própria personalidade, os elementos de que necessitam para a formação da sua vida, e que lhes são oferecidos cuidadosamente pelo ambiente escolar.

A escola moderna é, mesmo, acima de tudo, um *ambiente*. Um ambiente rico de tudo quanto possa carecer uma personalidade em crescimento. Mas faz parte da significação da Escola Nova não pesar jamais sobre a criança, oprimindo-a com essa riqueza, tanto quanto não lhe faltar com aquilo de que possa precisar, ainda sem que o saiba exprimir. Não há, portanto, nem exagero nem falta: a escola moderna, em toda a sua significação, representa a medida justa da vida.

Se a escola fosse *niveladora*, como diz o ilustre crítico, não seriam levados em conta nem os subnormais nem os supernormais. No entanto, a Escola Nova tem serviços especiais para o estudo e aproveitamento desses casos. E esse estudo, é claro, não consiste em levar os atrasados e os adiantados para a mesma linha média, forçando uns para a frente e outros para trás – mas em permitir que ambos avancem até onde lhes for possível, promovendo o descobrimento de poderes individuais que, mesmo aos, à primeira vista, menos favorecidos, venham a dar possibilidades de vida eficiente.

A intenção educacional moderna é, na verdade, oferecer todas as oportunidades para todos. Mas isso não é *nivelar*. Cada aluno é uma criatura humana, com as diferenças naturais que as criaturas humanas apresentam. Na Escola Nova, precisa não ser esquecido o capítulo do estudo vocacional.

Eu não pretendo dar aqui um retrato da Escola Nova, porque não caberia numa coluna, por muito resumido que o tentasse fazer. O mundo inteiro que se empenha nesse trabalho está fazendo com ele a própria fisionomia da atual civilização. A escola preparando a humanidade, subordinando-se às suas inquietações, como um organismo vivo e flexível, e não querendo impor um molde às gerações que por ela passam, é, sobretudo, uma expressão de respeito à personalidade e uma aspiração para a liberdade harmoniosa e responsável.

Essa a escola pública, em países civilizados. E, já agora, no Brasil.

A escola dogmática, hostil, fabricando meninos com diplomas inúteis, repetidores dos mesmos textos memorizados, essa, sim, pode ser chamada de *niveladora*, e acusada de querer levar todas as aptidões ao mesmo ponto de mediocridade. A escola pública tradicionalista foi muito tempo assim. Mas o seu tempo passou. Nós temos uma reforma educacional que precisa ser mais conhecida e mais compreendida. Por que este, como muitos outros equívocos, seriam evitados se fossem mais largos esse conhecimento e essa compreensão.

Rio de Janeiro, *Diário de Notícias*, 28 de maio de 1932

A Nova Educação

A humanidade já é bem velha, e ainda está cheia de imperfeições. O avanço dos séculos faz-se dificilmente, reunidas todas as forças, das mais nítidas às mais obscuras, e vencidas a custo as poderosas resistências que estão sempre diante de cada tentativa, talvez como o seu estímulo mais justo, – desafio do impossível a esta heroica vontade humana de ir mais além e ser melhor.

A sustentação da vida faz-se de experiência em experiência, e o tempo, unicamente, pode ir excluindo de cada conquista a porção de erro que elas sempre arrastam consigo, pela exigência natural dos sonhos que, para seguirem para o alto, vão, cada vez mais, abolindo o seu próprio peso.

Quando se confrontam duas épocas diversas da civilização, vendo-se o progresso de uma sobre a outra, não se pode deixar esquecido que é a ansiedade, que é o trabalho, que é a coragem, que é a amargura, que é a alegria das criaturas que ali estão palpitando, com todas as suas qualidades e falhas, e com o ritmo das reações necessárias em cada circunstância.

Para os cimos de cada vitória andaram simultaneamente levantadas as mãos vencedoras e as vencidas. Todas elas trabalharam igualmente, segundo a sua condição e o seu poder, para que se fixasse uma obra que ou não realizou completamente ou excedeu, talvez, a sua inspiração. E, fosse qual fosse a verdade de que se impregnaram, no seu interesse de construir, as justas horas sacrificadoras serenamente irão desfazendo, no trabalho encontrado, aquilo que já vai sendo inaproveitável e inoportuno.

Assim, a vida selecionando os seus próprios instantes, é uma constante retificação, uma revisão contínua, uma incansável perseverança para sua definição mais perfeita, traçando sempre o seu retrato mais puro, a fim de se suceder cada vez mais integral.

E, como a vida é o homem, todo esse labor obstinado, vagaroso e admirável é obra humana, que se vai perpetuando, e que transmitirá, mesmo ao último dia do mundo, a lembrança do seu primeiro, e a gratidão pelo seu primeiro habitante.

Vistas de uma grande altura, as coisas adquirem fisionomias impressionantes. Ao mesmo tempo que tudo se faz distante, impessoal, despido de interesses que nos atinjam, é como se estivéssemos contemplando a face de um universo que, pela isenção do observador, aparecesse em toda a sua exatidão e fosse julgado com toda a imparcialidade.

Ao contrário, as pequenas distâncias, não abolindo os interesses mais diretos e mais precários, perturbam o espectador e o seu espetáculo, geram paixões e injustiças, – por isso é que quase sempre se vive num ambiente que se conhece mal, e menos por uma expressão voluntária e consciente, que, talvez, pela força de um ritmo a que ninguém se pode furtar.

Como nem todos possuem o poder de escapar às contingências e, de dentro do seu tempo e do seu meio, olhar sem temor em redor de si como alheios a tudo, acontece que cada época luta consigo mesma, empregando metade da sua energia em se afirmar e outra metade em se defender das negações que lhe atiram.

Se há um campo em que se possa ver tudo isso perfeitamente, neste instante, é o da Nova Educação, em que um pequeno grupo de vidas se empenha, no mundo inteiro, em dar realidade a uma aspiração negada, perseguida ou incompreendida pela cegueira, proposital ou não, de um grande número.

O Brasil tem a glória de já possuir vítimas dessas.

Um educador verdadeiro tem a obstinação e a docilidade da vida. O seu sonho de construir qualquer coisa mais bela e perfeita tem, por força desse desejo, a disposição para se estar sempre corrigindo, com boa vontade e clarividência. Como educar é trabalhar para além de si, o interesse do educador é obter resultados melhores daquilo que fizer; e a isso se subordinam suas tentativas, que nenhuma arrogância pode perturbar. Para a sua obra de humildade ele transforma sua existência em vigilância e devotamento, e espera, depois de cada tentativa, a indicação do rumo mais certo, na sua constante investigação.

Mas os homens mesquinhos sofrem diante da obra difícil de que não participam, cujas dificuldades não conhecem, e de cujos longínquos triunfos, em nenhum futuro se rejubilarão.

Que têm feito esses inventores de realidades feitas, esses hipócritas que fingem crer nos milagres de obras perfeitas, sem experiências, sem contradições e sem erros? Quando a humanidade ofereceu qualquer coisa dessa natureza, em toda a sua longa existência que se pode analisar dia por dia?

E que ignorância tão grande é essa da própria razão de ser do mundo, para se ousar sorrir do esforço de sofrer por uma vida melhor, uma vida que é para os outros, uma vida que se deseja dar no tempo de hoje, talvez com mais fervor que em nenhum tempo – herança que estamos querendo transmitir dobrando muitas vezes aquela que porventura tenhamos recebido?

Rio de Janeiro, *Diário de Notícias*, 4 de junho de 1932

Sobre a Nova Educação [I]

Certo, o direito da crítica deve ser exercido livremente. Mas com as condições que a liberdade apresentar para ser reconhecida. Entre elas, a justiça, sem a qual todas as tentativas de edificação humana se desnaturam e corrompem.

Em matéria de educação, o direito de crítica é extremamente grave de se exercer. Do ponto de vista doutrinário, faz-se mister que os críticos demonstrem conhecimento do assunto em todas as suas sutilezas; do ponto de vista prático, que tenham realizado qualquer coisa por onde possam medir as dificuldades a que se obrigam os que estão convertendo um sonho num acontecimento real.

Há tempos para cá o ensino começou a passar por uma nova fase, aqui no Distrito Federal. Ninguém imagina que um administrador, responsável por um problema tão vasto e complicado como o escolar (tratemos só do escolar, propriamente dito) se arrisque levianamente a tomar providências nítidas para a execução de um certo número de medidas cujos efeitos – bons ou maus – terão, evidentemente, de se revelar pouco depois. Administrador que tal fizesse daria uma prova extraordinária de imbecilidade, além de sucumbir, imediatamente, sob os escombros dos seus próprios atos.

Logo, quando um administrador se empenha numa organização de largas iniciativas, que não são secretas, mas, ao contrário, vêm atingir diretamente o povo, como no caso da instrução, só o pode fazer por uma convicção absoluta de estar agindo certo, da maneira eficiente, pelos rumos que lhe parecem conduzir às finalidades que defende.

Tanto é assim que, indo para a Instrução Pública – por esses acasos que a Revolução está procurando, mas ainda não conseguiu remediar – pessoa que não tivesse conhecimento do assunto, a única coisa que faria seria não fazer nada. Porque assim daria a ilusão de não ser completamente ignorante, – se o processo, aliás, não fosse já tão conhecido.

Quem age, compromete-se com a sua própria ação. E, excetuados os casos anormais, sabe que tem de dar contas do que faz àqueles a quem está servindo.

Mas como falar dos atores é coisa muito cômoda quando se está no camarote, sucede que, desde que no Distrito Federal se começou a cogitar a sério da educação popular, principiou a vegetar uma espécie de críticos, quase todos com tendências humorísticas, com atitudes de infalibilidade coloridas, felizmente, pela qualidade das suas próprias tendências.

É possível que, se ao invés de serem tão copiosos, concentrassem a sua sabedoria, manifestando-a apenas de longe em longe, ainda acertassem em alguma observação – o que, então, os faria verdadeiramente preciosos. Mas, como na velha história do sapateiro que tentou corrigir a obra do pintor, estão sempre de tal maneira desejosos de ir além dos seus poderes que se traem a si mesmos, dando, afinal, apenas revelações de intuitos, muito em desacordo com os propósitos educacionais que pretendem defender.

Uma grande obra não soçobra pela mentira nem pela calúnia. As coisas que trazem seu destino justo não se abalam com essas variações superficiais, – porque estão presas ao fundo da vida, e asseguradas para a eternidade. Mas os seus efeitos podem ser retardados. E esse é o mal da injustiça. E a vítima é o povo, o povo que ainda não pode pensar inteiramente sozinho, pela culpa da educação antiga, o povo que não pode ainda julgar sozinho, e que sofre por ser uma grande maioria que depende da sorte que tenha aquela minoria sempre muito restrita que sonhe, um dia, trabalhar lealmente por ele, e a isso entregue sua vida, num impulso de definitivo desinteresse.

A esse povo cumpre estar vigilante, em frente dos problemas educacionais. Ele tem de compreender que a obra de educação excede todas as outras, mesmo as que, parecendo mais poderosas imediatamente, ficam, no entanto, sem garantia nenhuma, se a educação não as estiver sustentando como fundamento.

A esse povo cumpre olhar com imparcialidade as tentativas educacionais que se vêm definindo entre nós, e contemplar a natureza das críticas que sofrerem, porque ele é que deve dizer, finalmente, como quer que seja a sua vida, sem se deixar levar para qualquer caminho, de olhos fechados, com a mão posta num guia, que pode, por acaso, saber e querer por ele, – mas que é quase certo saberá e pensará mil vezes melhor por si e para si.

Rio de Janeiro, *Diário de Notícias*, 5 de junho de 1932

Sobre a Nova Educação [II]

A Diretoria de Instrução Pública acaba de baixar o seguinte edital:

> Srs. inspetores escolares e professores e docentes do Instituto de Educação – Comunico-vos que, promovido pela Companhia Editora Nacional, fica aberto, pelo prazo de quatro meses a partir desta data, um concurso para a melhor obra apresentada a respeito de um dos três assuntos seguintes:
>
> a) A educação em função da vida social;
>
> b) O Estado e a educação;
>
> c) A educação nova – suas bases psicológicas e sociológicas.
>
> Os trabalhos apresentados deverão ter *150* a *180* páginas datilografadas e serão julgados dentro de dois meses improrrogáveis a partir da data do encerramento do concurso por uma comissão constituída por dois técnicos escolhidos por esta Diretoria e um pela Companhia Editora Nacional.
>
> A Companhia Editora Nacional se obriga a pagar um prêmio de *2:000$000* (dois contos de réis) à melhor obra apresentada, a publicá-la, se convier ao autor, em primeira edição na série – *Atualidades Pedagógicas* – da Biblioteca Pedagógica Brasileira e a pagar, nesse caso, ao autor *10%* (dez por cento) sobre o preço de capa nas suas edições.
>
> Distrito Federal, *13* de junho de *1932*. – *(a)* Anísio Spínola Teixeira, diretor-geral.

Este concurso tem, no momento que atravessamos, uma significação especial, pela curiosidade que atrairá para o problema da Nova Educação, que só não pôde ainda ser resolvido em toda a sua extensão pela falta de ambiente que existe em redor de si, no desconhecimento da maioria, e na má vontade de um certo número.

Lutar com ideias não é empresa fácil, mas exequível, pelo próprio poder de renovação que umas podem exercer sobre outras, corrigindo erros e atualizando orientações. Mas lutar com a falta de ideias é na verdade uma empresa impossível, porque é atirar para o vácuo todas as teses e todos os argumentos que se tenham trazido com uma intenção qualquer.

Falar na Nova Educação no Brasil é ainda como que tratar de um assunto de luxo, da cogitação de restrito número de criaturas bem-intencionadas e de outro de mal-intencionadas: o primeiro, tratando, realmente, do problema em si, e o segundo defendendo interesses que podem ficar prejudicados, na sua hipócrita existência, pelas próprias virtudes dos fatos educacionais.

No entanto, nenhum problema devia estar mais na preocupação de todo o povo, pelo menos na sua atenção, na sua consciência, quando não, como seria de desejar, ao alcance da sua mais direta participação.

Toda a propaganda que se fizer da Nova Educação é, portanto, de uma utilidade extraordinária; e não só a propaganda favorável, como a desfavorável, também, porque agitará o seu próprio confusionismo, e dele fará surgir, contra a sua vontade, a verdade mais pura que dentro dele se tenha querido fazer sucumbir.

Este concurso dará oportunidade aos conhecedores do assunto, de definirem pontos de vista que o Brasil, neste momento de renovação, precisa conhecer com muita urgência e amplidão.

E será um estímulo a mais para o movimento educacional que se empenha, neste momento, em chamar a atenção dos brasileiros para si mesmos, em relação à sua terra e ao mundo, em relação à vida e ao sentido humano, – a fim de acordarmos de um passado de rotinas e superstições de toda espécie para realidades mais verdadeiras, e que por isso também serão melhores e mais belas.

Rio de Janeiro, *Diário de Notícias*, 17 de junho de 1932

Manifesto da Nova Educação

O Manifesto da Nova Educação foi lançado numa época de manifestos, – o que equivale a dizer numa época de grandes inquietudes.

Na incerta oscilação do meio, hesitante em se definir pelos inúmeros caminhos que costumam surgir diante das solicitações de um ideal que acorda, o manifesto trazia consigo esta qualidade especial de propor uma solução para o estado de coisas reinante, – e uma solução de origens profundas, que não removia as dificuldades superficialmente, mas descia às suas raízes, e procurava prevê-las, por antecipação, dando aos homens uma esperança mais sólida que a oriunda de aproveitamentos momentâneos ou de reformas puramente exteriores e, por isso, condenadas à próxima ruína.

O Manifesto da Nova Educação fez voltar as vistas dos que o leram para a nossa realidade humana e brasileira. A realidade da nossa inteligência desamparada, do nosso esforço malconduzido, de todo o nosso futuro comprometido numa aventura social que parece mítica, tanto andamos transviados e ignorantes, em cada um dos nossos elementos.

A Revolução foi, na verdade, um tremendo balanço das nossas possibilidades. À conclusão tragicamente aparecida impunha-se um plano de ação definitiva. Qual, senão o de educação, poderia, na verdade, trazer uma luz compreensiva para os múltiplos desacertos da conduta contemporânea em relação àquilo que se entende por uma tentativa de formação nacional?

O manifesto foi o acordo dos que têm trabalhado nestes últimos tempos, com unidade de intenções, nesse campo muito desconhecido ainda, e muito caluniado, de onde, não obstante, haverá de surgir uma verdade tranquilizadora.

Ele coordenou ideias, disposições e propósitos; foi um espontâneo compromisso de cooperação. E, como os que o assinaram não o fizeram por esnobismo, mas tendo já provas de serviço verificável, o manifesto não foi uma tirada de retórica futilmente lançada aos ares, – mas o anúncio, ao governo, de um programa de trabalho, e uma promessa ao povo de o cumprir.

Numa terra em que as promessas são sempre recebidas com ceticismo, esta trouxe a vantagem, precisamente, de já estar em andamento, quando apareceu redigido.

Basta lançar os olhos em redor: os nomes mais proeminentes, na presente ação educacional, são nomes pertencentes ao grupo do manifesto. O trabalho copioso que se está realizando, por exemplo, sobre o assunto, no Distrito Federal, não sendo, propriamente, uma decorrência do manifesto, é, no entanto, a verdadeira contribuição prática de alguns dos seus signatários. São fatos, portanto, que se estão produzindo: não mera conjeturas, como gostariam, talvez, que fossem os que, com o seu pequenino veneno de injúria e de calúnia, apenas conseguem evidenciar melhor a nobreza desse trabalho, e aumentar, nos que a ele se dedicam, a certeza do seu poder e a alegria do seu fervor.

O Manifesto da Nova Educação vai aparecer, dentro de breves dias, numa edição limitada, que o deverá fixar melhor na atenção dos que na verdade se preocupam com a situação do Brasil. Para essa edição, Fernando de Azevedo escreveu um prólogo que é uma nova luz, mais forte e clara, sobre a questão. Resta que os educadores se animem a uma atitude decidida, num convívio eficiente, e que as energias sinceras convirjam para esse campo de atividade proveitosa que é o campo da educação.

Rio de Janeiro, *Diário de Notícias*, 10 de julho de 1932

Escola velha e Escola Nova

Eu acho sempre muita graça nas pessoas que fazem certas críticas à Escola Nova, absolutamente como se a conhecessem, e com uma ingênua esperança de a poderem evitar.

Não a podem evitar, não porque ela se queira impor, dogmaticamente, mas porque, pelo fato de corresponder à verdadeira necessidade da fase atual da vida, por não desejar mais nada que estar ao serviço da própria vida, por se resumir em dar às criaturas aquilo de que possam carecer para a elementar função de existir, a Escola Nova é uma coisa invencível. É um acontecimento humano. É a escola resultante do tempo, ligada ao tempo: indestrutível, por variar com ele, e ir sendo sempre o que ele determinar que seja, ao contrário da escola velha, paralisada e inútil no ambiente móvel e inexorável da vida.

Por aí se percebe que falar mal da Escola Nova é declarar sumariamente uma ignorância total do assunto.

O equívoco, porém, se torna muito interessante quando as pessoas apontam fatos, condenando, por eles, a velha novidade que ainda não entenderam.

Porque a verdade é esta: nós temos, oficialmente, aqui no Distrito Federal, uma adiantadíssima visão do problema educacional, e todos os recursos de conhecimento necessários para o resolver.

É preciso, no entanto, considerar que as escolas aqui existentes não estão ainda impregnadas igualmente desse espírito de renovação, e do poder suficiente de agir de acordo com ele, por motivos, naturalmente, que não dependem do gosto de cada um.

A rapidez com que as novas ideias educacionais se vêm fixando nos países que pensam em civilização, o avanço que ganharam mesmo aqui, desde a Reforma Fernando de Azevedo, a expressão prática adquirida especialmente na atual administração, tudo isso tem uma velocidade a que ainda não se puderam ajustar todos os fatores de cujo esforço harmonioso resultará uma boa marcha do trabalho iniciado.

Pode-se dizer, talvez, que ainda estamos, de um modo geral, no período de apresentação de ideias e de justificação de atitudes.

Como todos os outros o faziam anteriormente, os pais brasileiros mandavam, até agora, os meninos para a escola, principalmente, como na crítica de Hervé Lauwick, "para não bulirem com o gato, não estragarem a vitrola, não atrapalharem o serviço da empregada e não entornarem o leite, representando o Mississipi". É natural que – e dadas as condições características do nosso povo – estas ideias novas, que requerem um esforço e compreensão verdadeira, exijam tempo, antes de serem bem recebidas.

Quanto ao professorado, tantos anos desiludido, rebaixado a uma simples função burocrática, transformado num aparelho mais ou menos transmissor de rotina – é claro que não por sua culpa, uma vez que não era autônomo – e numa situação financeira capaz de desanimar qualquer inquietude melhor, esse teria de sofrer, naturalmente, para se adaptar a uma ordem de coisas que, essencialmente dinâmicas, solicitam, cada dia, uma atividade maior, uma disposição de simpatia e de solidariedade para com o mundo e os seus habitantes, e uma vigilante contemplação de todas as circunstâncias, de modo a ser prevista a mais útil iniciativa, no mais justo momento.

Se ainda existem professores céticos, será por desconhecimento ou conhecimento errôneo – o que dá no mesmo – do que a Escola Nova significa e aspira. É, por exemplo, com um profundo interesse e visível contentamento que as mais distintas diretoras de escola acompanham os cursos de filosofia, psicologia, sociologia, história da educação, administração escolar, educação comparada, testes etc., que, organizados pela Diretoria de Instrução, se vêm realizando no Instituto de Educação.

Chegaremos à generalização da escola nova. Que os críticos sem assunto esperem, que ela dê os seus resultados verdadeiros para então se manifestarem. Antes disso, é má-fé e ignorância. Depois, vamos a ver o que será.

Rio de Janeiro, *Diário de Notícias*, 19 de julho de 1932

Cursos de aperfeiçoamento do Instituto de Educação

Como se sabe, no Instituto de Educação se estão processando, atualmente, vários cursos de aperfeiçoamento para professores, – um dos quais, especialmente destinado a diretoras de escolas e aos membros da missão contratados para estudos nos Estados Unidos. Este, particularmente importante, pelas matérias que abrange e por alguns professores verdadeiramente notáveis que as lecionam, modifica de tal modo o ambiente do ensino que nos faz pensar nas palavras com que Otreras Gomez abre um dos últimos números da revista *Educación*, órgão do Ministério de Educação Pública de Quito.

Diz ele:

> O ano de 1932 representa o começo de uma etapa muito importante na história da educação equatoriana. Pela primeira vez, entre as austeras paredes da universidade, se vai desenvolver um curso sistemático de pedagogia. Acontecimento de tanta significação desperta imenso fervor em nosso espírito de professores, porque a pedagogia, ciência tão escassamente compreendida, tão caluniada e até menosprezada, alcança, enfim, um elevado lugar entre os componentes espirituais da nossa cultura nacional.
>
> No plano de estudos destinado à seção pedagógica da Faculdade de Filosofia e Letras, consta a pedagogia como matéria obrigatória para todos os estudantes. Quer dizer que, sobre essa cátedra pesam, e com razão, as mais graves responsabilidades. Representa – digamo-lo com termos matemáticos, – a integral encarregada de descobrir a função docente, dada a tangente de cultura variada que recebem os estudantes nas outras disciplinas. É o núcleo central, em torno do qual se vai estruturar o preparo científico dos professores secundários.
>
> A ciência pedagógica, sem desconhecer o direito de firmar seu caráter autônomo, deve afirmar-se e vivificar-se, lançando mão, de maneira imediata, por um lado, da filosofia, e, por outro, da antropologia, da psicologia, e da sociologia pedagógica.

> Tentar o ensaio de uma disciplina pedagógica dentro das aulas universitárias, sem a conexão solidamente estruturada com as outras disciplinas citadas, parece-nos inconcebível e inaceitável. A finalidade de semelhante estudo deve ser vista como a aquisição de critério científico, da atitude espiritual interna para contemplar todas as coisas *More Philosophico*, do respeito, intimamente sentido, diante das dificuldades do conhecimento, e da crítica nobre e criadora que põe em ordem o caos dos fenômenos, para fazer brotar o fulgor da verdade. O espírito de crítica e o respeito pela ciência não devem faltar, porque eles constituem os dois componentes do acadêmico.

Ora, essas palavras de um professor equatoriano parecem escritas para o Instituto de Educação.

Também para nós o ano de 1932 está representando uma etapa muito importante na história da educação brasileira.

Também aqui se está processando – e pela primeira vez, desta maneira – um curso sistemático de pedagogia, que também entre nós é "escassamente compreendida, caluniada e até menosprezada"...

É verdade que este curso não é obrigatório para todos os estudantes, mas apenas para alguns professores. Nisso, o Equador ainda nos vai levando vantagem.

Mas confiemos no tempo. Se estes professores quiserem, não poderemos, na verdade, conseguir, para estes estudos, uma expansão, uma irradiação, uma eficiência que compensem a quantidade pela qualidade?

Basta, por exemplo, que possuam "o espírito de crítica e o respeito pela ciência", que Otreras Gomez afirma caracterizarem os acadêmicos, e com os quais também está contando para êxito da iniciativa. Há muitas outras qualidades necessárias.

Nenhuma, porém, tão indispensável quanto aquelas. E nenhuma tão difícil de adquirir, e tão difícil de usar, principalmente.

Rio de Janeiro, *Diário de Notícias*, 20 de julho de 1932

Escola Nova

A Escola Nova tem sido injuriada o mais largamente possível. Não há pessoa que, posta em contato subitamente com qualquer assunto educacional, se iniba de falar, respeitando uma coisa que não conhece. E não o fazem por mal, e sim porque se estabeleceu que isso é coisa de que todos *entendem*. A verdade não é essa: é que todos *deviam entender*.

Tudo quanto aparecer de mau, de incompreensível, de contrariante, de inesperado, em matéria de ensino, – ah! já se sabe: é a Escola Nova...

Ora, há males que vêm para bem. Porque, de tanto quererem encontrar defeitos na Escola Nova, as pessoas que se dedicam a esse esporte estão é travando conhecimento com a velha, e apontando-lhe os defeitos com uma sinceridade que só vem confirmar as vantagens daquilo que combatem.

A cada instante surge uma observação interessantíssima, rotulada como novidade pedagógica.

Aliás, isso de pedagogia é outro assunto curioso. Quer dizer, o que se entende por pedagogia...

Como de vez em quando me contem uma coisa feia a respeito da Escola Nova, hoje vou transmitir uma delas ao leitor complacente, que a poderá juntar à coleção que por acaso tenha, ou venha a ter.

Dizem que certa menina passou os dois ou três primeiros meses do corrente ano letivo enchendo alguns cadernos só de números pares e ímpares.

Começaram a reparar nisso, em casa. Um dia, a menina trazia folhas e folhas de uma série: 1-3-5-7-9... No dia seguinte, vinha a outra: 2-4-6...

E assim alternadamente.

Com receio de perturbar o trabalho da criança, quem olhava o caderno sorria e calava, esperando chegar a uma conclusão.

Dizem que na semana passada, à mesa do jantar, as crianças da casa, conversando sobre coisas de escola, puseram-se a dizer: "A minha professora ensina isto"; "A minha, aquilo..." E a menina do caderno célebre, depois de um rápido balanço, declarou: "A minha ensina números pares e ímpares..."

Então, como viesse a propósito, um adulto qualquer perguntou-lhe:

– E você sabe o que é um número par?

– Sei – respondeu a pequena. – É aquele que a gente faz pulando o outro...

– Ah! e ímpar?

– Ímpar...

Aí a menina pensou um pouco e definiu:

– ... é esse outro...

Os partidários da palmatória, da tabuada e de outras veneráveis relíquias do passado certamente vão dizer que isso é Escola Nova...

São capazes...

Rio de Janeiro, *Diário de Notícias*, 22 de julho de 1932

A dificuldade de ser professor

Já não falo da dificuldade de ser professor primário: porque essa é mais o professor que a sente – quando a sente. Ela resulta de uma opinião criteriosa a respeito da profissão; de um ponto de vista elevado acerca da sua responsabilidade; de uma visão profunda da infância; de um poder de autocrítica inflexível e vigilante sempre.

A criança da escola primária, interessada pela vida em si mesma, – salvando-se a cada instante das mil mortes que lhe dá a classe pela evasão a que se entrega por um mundo diferente, – não dá grande atenção ao professor: perdoa-lhe generosamente os defeitos, aceita-o com benevolência, com essa facilidade que têm os que podem muito de suportar os que podem menos – ainda quando estes estão querendo trapacear...

Porque a criança pode tudo. Eu tenho medo de ficar dizendo que ela é o recomeço da vida, que é a renovação do mundo, que é a chave da criação etc., porque pode parecer discurso. E discurso é coisa em que, felizmente, parece que ninguém acredita mais.

Então, voltando ao princípio, direi que a dificuldade maior de ser professor é quando os alunos já são gente crescida, que leu umas coisas e pensou um bocado. Nessas condições, dar uma aula é precisamente o mesmo que fazer um exame. E que exame! Menos generosos, talvez, que as crianças, nesse particular, os jovens sabem analisar todos os defeitos do professor, com uma nitidez tão rigorosa que às vezes chegam a deixar passar despercebida alguma qualidade que, também, por acaso, possuam.

Nada escapa: a voz, o gesto, a linguagem, a intenção, as contradições, os lapsos, a banalidade, os erros etc.

Dessas coisas porém, uma parece que atrai de preferência a curiosidade dos estudantes: a intenção. Diante de um professor que vai dar uma aula, os jovens que se dispõem a ouvi-la parece que, preliminarmente, se propõem esta pergunta: "Que será que este cavalheiro pretende fazer de nós?" Há, provavelmente, uma certa desconfiança. Uma certa cisma de que o professor quer pregar uma doutrina. Quer obrigar os alunos a meterem na cabeça certas ideias. E parece que há também uma prevenção inicial, de defesa.

As aulas são, assim, uma espécie de verificação constante de uma suspeita.

Mas se o aluno descobre no professor uma largueza de vistas, um calor de simpatia humana que lhe conquistem a admiração, outra é a sua atitude: até os erros são vistos com bondade e brandura. Ele faz um aparte à crítica de estranhos e diz, quase sempre, assim: "Bom sujeito... As ideias dele não são lá grande coisa... Mas é aproveitável... Serve para dar vontade de estudar..."

Pois bem. Esse tipo "aproveitável" não é, infelizmente, muito comum. Pelo que tenho ouvido, há uma grande quantidade de professores que ainda se consideram verdadeiros gênios obrigados ao sacrifício patriótico de prelecionar as turmas de moços distraídos, vadios etc. Moços deste tempo. Porque, na monarquia, meus senhores, não era assim...

Eles deviam é aproveitar o que esses moços pensam a seu respeito. Porque a mocidade, se não está, ela mesma, desorientada por um preconceito, costuma ser admiravelmente justa. Ela vê a pretensão, vê a má-fé, vê a incultura, vê o verbalismo, vê a suficiência, vê a hipocrisia e a inutilidade.

Mas reconhece também, e respeita, a seriedade dos estudos e a verdade dos ideais adequados. E em seu nome sabe perdoar muita coisa, e conformar-se com muitas situações.

Resta que os professores não a desdenhem, mas, ao contrário, a respeitem, também. E que tenham o cuidado de sentir que o primeiro dever, diante de um moço, é não o desiludir no sonho que possa ter feito da vida. E que há uma coisa mais grave e mais bela do que o simples desejo vaidoso de ser admirado: é merecer, realmente, alguma admiração.

Rio de Janeiro, *Diário de Notícias*, 23 de agosto de 1932

Um símbolo

Quando a Escola Nova se propõe formar criaturas capazes de vencer os obstáculos da vida pelo poder de se transformarem a cada instante; de se adaptarem às exigências do ambiente; de se renovarem, depois de cada experiência vencida, para a aventura de uma experiência seguinte, – ela está de certo modo recordando uma observação que fez Lafcadio Hearn a propósito da civilização japonesa, quando a relacionou com o símbolo de instabilidade do próprio solo de que ela se eleva.

Comparava ele, por exemplo, o aspecto de solidez das edificações ocidentais com essa frágil aparência das construções nipônicas, expressamente erguidas para um breve destino, certas da sua precariedade, prontas para o desaparecimento, no primeiro desastre vulcânico.

De um lado, a noção do permanente, do estável, do fixo. De certo modo, do acabado e perfeito.

Do outro, ao contrário, uma sensibilidade especial do transitório, do imperfeito, do instável, do perecível.

Diferença que vem das raízes do espírito, que separa o sentido religioso do Oriente e do Ocidente, e de que resulta, afinal, a diretriz, de cada civilização, que ainda hoje poucos espíritos são capazes de compreender com clareza, no seu conteúdo total, desde que estejam de um lado e contemplem o lado oposto.

Lafcadio viu nesse habitante de um território constantemente em perigo a criatura sempre alerta à adaptação necessária, sempre disposta a um recomeço, infatigavelmente resolvida a renascer, como a velha fênix, das suas próprias cinzas.

Viu essa tensão do espírito vigilante como uma força característica do japonês, apto a aprender cada lição da vida e integrá-la em si para uma aplicação oportuna, com essa maleabilidade que nem todos adquirem facilmente, e com a necessária nobreza, de modo que a sua existência possa, na verdade, ser, ao mesmo tempo, um contínuo ser e deixar de ser.

Reconheço que essa é uma noção difícil de esclarecer bem numa rápida coluna de jornal, nestes dias agitados que estamos vivendo.

Mas o leitor poderá refletir sobre ela, porque é, realmente, valiosa, rica de ensinamento, e bela de contemplar.

Já o poeta americano, elogiando a água, com um senso de fraternidade suavemente franciscano, louvava a sua doçura de acomodar-se a tantas formas: de ser móvel regato, granizo cantante, nuvem plácida, nevoeiro misterioso. Era apenas o elogio da sua docilidade. E o da sua admirável beleza.

Educação, afinal, é um processo de alcançar a docilidade – sem de nenhum modo se encontrar nessa palavra qualquer sentido de cativeiro ou servilismo.

A docilidade bela de ser livre, no cárcere das circunstâncias.

Temos de ser como a água: segundo seja necessário, – conseguindo estar dentro das fatalidades sem nos subordinarmos a elas.

Temos de conquistar aquela energia inesgotável do espírito japonês, como Lafcadio o viu, recomeçando a cada passo uma vida inteira, sem olharmos para o passado que se vai desmoronando, mas preparando-nos para o futuro que chega, a sucessão dos *futuros* sem fim que vão nascendo diante de nós como as ondas do mar.

Essa atitude de serenidade e esse poder de infinitas experiências realizam uma figura humana para quem a vida é um problema com tantas soluções quantas se façam necessárias, trazendo toda a sua resposta certa.

E a Escola Nova tenta uma educação precisamente assim. Porque a vida é, na verdade, um território vulcânico, ameaçado sempre de um abalo súbito, com imprevisíveis consequências.

É preciso aprender a morar num território desses. A saber que a morte está, em todos os momentos, debaixo de cada passo, e ser bastante ágil e decidido para continuar a ir andando, gostando da vida e trabalhando por ela com um invariável amor.

Rio de Janeiro, *Diário de Notícias*, 28 de agosto de 1932

Uma atitude e o seu reflexo

O dr. Anísio Teixeira, tendo sido nomeado professor do Instituto de Educação, acaba de declinar dos honorários correspondentes, enquanto, conjuntamente, permanecer como diretor geral de Instrução, solicitando, ao mesmo tempo, ao interventor, seja essa verba aplicada na organização da biblioteca daquele instituto.

Até aí, a atitude.

Agora, o comentário.

Quando a renovação educacional começou a conquistar o nosso meio, uma das primeiras novidades surgidas e proveniente da má interpretação da Escola Nova foi a hipótese de ser o livro objeto dispensável, desnecessário, talvez inútil e quem sabe até ser pernicioso.

A literatura, tão pouco estimada sempre, recebeu um golpe mais forte. O pensamento escrito foi todo confundido numa dessas generalizações mesquinhas com que se envolvem o certo e o incerto, na turbulência precipitada das incompreensões.

Mas o tempo possui mãos serenas que colocam os fatos em seus justos lugares: foi-se fazendo, a seguir, a distinção entre o livro e o livro, o pensamento e o pensamento. Saiu dessa seleção um novo sentido para uma vida nova. O pensamento e o livro que o fixa reconquistaram para o seu prestígio o brilho toldado.

Nenhuma prova mais significativa dessa vitória que uma biblioteca surgindo sob o patrocínio do próprio diretor de Instrução, que, sem afazeres copiosos, quis reunir uma docência de cujas qualidades é testemunha o professorado que às suas aulas tem assistido.

Ora, qualquer biblioteca assim criada teria uma significação muito particular e digna de nota. Acresce, porém que esta é a daquele mesmo Instituto de onde deverá sair um magistério novo, retemperado em suas energias e em sua inspiração.

Esse magistério poderá ver facilitada desde cedo a sua tarefa de estudar o melhor possível, porque o próprio estabelecimento se encarregará de manter à sua disposição – e já o vinha fazendo até certo ponto por uma cortesia particular dos professores – toda a vastíssima informação que os editores do mundo inteiro vêm fornecendo interminavelmente sobre o panorama pedagógico e as atividades e as tendências sucessivas da educação.

Essa biblioteca virá a ser uma documentação dinâmica dos acontecimentos do setor mais importante da vida. Ela constituirá, para a formação do professor, a sua comunicação constante com o mundo todo, no ponto em que ele se dirige para esse mesmo fim. Ela tornará familiares, aos estudantes, as questões que, vagamente apresentadas, os poderiam desinteressar ou enfadar.

O magistério que se espera ver sair do Instituto de Educação é que terá de ser, definitivamente, o realizador de todas essas tentativas ainda hoje tão árduas para o que o precedeu, justamente porque teve de realizar o prodígio de criar alguma coisa sem ter sido, antes, agraciado com os dons que lhe permitissem tal poder.

Assim, a atitude do diretor de Instrução, oferecendo seus honorários para tão útil serviço, passa a ser a cooperação mais evidente, mais concreta, mais positiva com que poderia, depois de tantas, de outra natureza, favorecer as condições do ensino, para melhorar o estado da educação.

O simples fato do Instituto o receber como professor representava uma vantagem comprovada, e marcaria para o interventor mais um ato de acerto, de clarividência e de progresso para o seu governo.

Que de tal acontecimento se originasse a cooperação a que nos referimos, é um desses caprichos com que os tempos às vezes surpreendem os mortais.

Como se vê, não só o mal, mas o bem pode vir no plural...

Rio de Janeiro, *Diário de Notícias*, 7 de dezembro de 1932

Cronologia

1901

A 7 de novembro, nasce Cecília Benevides de Carvalho Meirelles, no Rio de Janeiro. Seus pais, Carlos Alberto de Carvalho Meirelles (falecido três meses antes do nascimento da filha) e Mathilde Benevides. Dos quatro filhos do casal, apenas Cecília sobrevive.

1904

Com a morte da mãe, passa a ser criada pela avó materna, Jacintha Garcia Benevides.

1910

Conclui com distinção o curso primário na Escola Estácio de Sá.

1912

Conclui com distinção o curso médio na Escola Estácio de Sá, premiada com medalha de ouro recebida no ano seguinte das mãos de Olavo Bilac, então inspetor escolar do Distrito Federal.

1917

Formada pela Escola Normal (Instituto de Educação), começa a exercer o magistério primário em escolas oficiais do Distrito. Estuda línguas e em seguida ingressa no Conservatório de Música.

1919

Publica o primeiro livro, *Espectros*.

1922

Casa-se com o artista plástico português Fernando Correia Dias.

1923

Publica *Nunca mais... e Poema dos poemas*. Nasce sua filha Maria Elvira.

1924

Publica o livro didático *Criança meu amor...* Nasce sua filha Maria Mathilde.

1925

Publica *Baladas para El-Rei.* Nasce sua filha Maria Fernanda.

1927

Aproxima-se do grupo modernista que se congrega em torno da revista *Festa.*

1929

Publica a tese *O espírito vitorioso.* Começa a escrever crônicas para *O Jornal,* do Rio de Janeiro.

1930

Publica o poema *Saudação à menina de Portugal.* Participa ativamente do movimento de reformas do ensino e dirige, no *Diário de Notícias,* página diária dedicada a assuntos de educação (até 1933).

1934

Publica o livro *Leituras infantis,* resultado de uma pesquisa pedagógica. Cria uma biblioteca (pioneira no país) especializada em literatura infantil, no antigo Pavilhão Mourisco, na praia de Botafogo. Viaja a Portugal, onde faz conferências nas Universidades de Lisboa e Coimbra.

1935

Publica em Portugal os ensaios *Notícia da poesia brasileira* e *Batuque, samba e macumba.*

Morre Fernando Correia Dias.

Nomeada professora de literatura luso-brasileira e mais tarde técnica e crítica literária da recém-criada Universidade do Distrito Federal, na qual permanece até 1938.

1937

Publica o livro infantojuvenil *A festa das letras,* em parceria com Josué de Castro.

1938

Publica o livro didático *Rute e Alberto resolveram ser turistas.* Conquista o prêmio Olavo Bilac de poesia da Academia Brasileira de Letras com o inédito *Viagem.*

1939

Em Lisboa, publica *Viagem*, quando adota o sobrenome literário Meireles, sem o *l* dobrado.

1940

Leciona Literatura e Cultura Brasileiras na Universidade do Texas, Estados Unidos. Profere no México conferências sobre literatura, folclore e educação.

Casa-se com o agrônomo Heitor Vinicius da Silveira Grillo.

1941

Começa a escrever crônicas para *A Manhã*, do Rio de Janeiro. Dirige a revista *Travel in Brazil*, do Departamento de Imprensa e Propaganda.

1942

Publica *Vaga música*.

1944

Publica a antologia *Poetas novos de Portugal*. Viaja para o Uruguai e para a Argentina. Começa a escrever crônicas para a *Folha Carioca* e o *Correio Paulistano*.

1945

Publica *Mar absoluto e outros poemas* e, em Boston, o livro didático *Rute e Alberto*.

1947

Publica em Montevidéu *Antologia poética (1923-1945)*.

1948

Publica em Portugal *Evocação lírica de Lisboa*. Passa a colaborar com a Comissão Nacional do Folclore.

1949

Publica *Retrato natural* e a biografia *Rui: pequena história de uma grande vida*. Começa a escrever crônicas para a *Folha da Manhã*, de São Paulo.

1951

Publica *Amor em Leonoreta*, em edição fora de comércio, e o livro de ensaios *Problemas da literatura infantil*.

Secretaria o Primeiro Congresso Nacional de Folclore.

1952

Publica *Doze noturnos da Holanda & O Aeronauta* e o ensaio "Artes populares" no volume em coautoria *As artes plásticas no Brasil*. Recebe o Grau de Oficial da Ordem do Mérito, no Chile.

1953

Publica *Romanceiro da Inconfidência* e, em Haia, *Poèmes*. Começa a escrever para o suplemento literário do *Diário de Notícias*, do Rio de Janeiro, e para *O Estado de S. Paulo*.

1953-1954

Viaja para a Europa, Açores, Goa e Índia, onde recebe o título de Doutora *Honoris Causa* da Universidade de Delhi.

1955

Publica *Pequeno oratório de Santa Clara, Pistoia, cemitério militar brasileiro* e *Espelho cego*, em edições fora de comércio, e, em Portugal, o ensaio *Panorama folclórico dos Açores: especialmente da Ilha de S. Miguel*.

1956

Publica *Canções* e *Giroflê, giroflá*.

1957

Publica *Romance de Santa Cecília* e *A rosa*, em edições fora de comércio, e o ensaio *A Bíblia na poesia brasileira*. Viaja para Porto Rico.

1958

Publica *Obra poética* (poesia reunida). Viaja para Israel, Grécia e Itália.

1959

Publica *Eternidade de Israel*.

1960

Publica *Metal rosicler*.

1961

Publica *Poemas escritos na Índia* e, em Nova Delhi, *Tagore and Brazil*.

Começa a escrever crônicas para o programa *Quadrante*, da Rádio Ministério da Educação e Cultura.

1962

Publica a antologia *Poesia de Israel*.

1963

Publica *Solombra* e *Antologia poética*. Começa a escrever crônicas para o programa *Vozes da cidade*, da Rádio Roquette-Pinto, e para a *Folha de S.Paulo*.

1964

Publica o livro infantojuvenil *Ou isto ou aquilo*, com ilustrações de Maria Bonomi, e o livro de crônicas *Escolha o seu sonho*.

Falece a 9 de novembro, no Rio de Janeiro.

1965

Conquista, postumamente, o Prêmio Machado de Assis da Academia Brasileira de Letras, pelo conjunto de sua obra.

Conheça outras obras de Cecília Meireles publicadas pela Global Editora:

- O Aeronauta
- Amor em Leonoreta
- Baladas para El-Rei
- Canções
- Cânticos
- Crônica trovada da cidade de Sam Sebastiam*
- Crônicas de viagem (3 volumes)
- Doze noturnos da Holanda
- Espectros
- Mar absoluto e outros poemas
- Metal Rosicler
- Morena, pena de amor
- Nunca mais... e Poema dos poemas
- Pequeno oratório de Santa Clara, Romance de Santa Cecília e Oratório de Santa Maria Egipcíaca
- Pistoia, Cemitério Militar Brasileiro
- Poemas de viagens
- Poemas escritos na Índia
- Poemas italianos
- Poesia completa (2 volumes)
- Problemas da literatura infantil
- Retrato natural
- Romanceiro da Inconfidência
- Solombra
- Sonhos
- Vaga música
- Viagem

* prelo

GRÁFICA PAYM
Tel. [11] 4392-3344
paym@graficapaym.com.br